Goosebumps™

鸡皮疙瘩

系列丛书

WO DE TOU ZAI NALI · LING'OU III

我的头在哪里 ● 灵偶III

[美] R.L.斯坦 著 方薇 译

接力出版社
Publishing House

目 录

我的头在哪里

灵偶Ⅲ

“鸡皮疙瘩”预告

欢迎来到“鸡皮疙瘩”俱乐部

致中国读者

中国的读者朋友们，你们好！

听说大家很喜欢我的书，我很开心。

我觉得，要让孩子们认识到他们可以到书里去寻找乐趣，这一点非常重要，并且，我还要让他们接触到惊悚的内容，但同时又有安全感。在这些惊悚的场景里我加入了一些幽默元素，这样小朋友们在开怀大笑的同时又有一点点紧张。

很多小朋友觉得交朋友是件很难的事儿，总是奇怪为什么别的小朋友在这方面好像更加轻松容易。对于腼腆的小朋友们，我的建议就是找到你喜欢做的事儿——不管是写作啦，还是运动啦，或者是玩游戏啦，等等。

做这些事儿，会带来两个益处。首先，你可能会遇到别的和你有同样兴趣的小朋友。其次，如果你真的对什么

感兴趣，那么你谈论起来时就会轻松自如。

我从来就没停止过和孩子们的交流，我认为重要的是要让孩子们去寻找自己的方式。我提倡小朋友们多读书，找到自己感兴趣的可以轻松自如地谈论的内容。

我认为家长和老师倾听孩子的声音非常重要。有些孩子愿意和父母交流自己的感受，但有些却不愿意。有的时候他们虽然在说一些看似无关紧要的事情，但对于他们自己来说却很重要。

我希望有机会能来中国，见见大家，参观一下这个充满魅力的国度。我很喜欢龙，我一定会好好构思一个关于龙的精彩故事。

到北京看看是我心驰神往的事情。我住在纽约市的中心，但我可以打赌，北京肯定会让人感觉更大——哪怕是对于像我一样习惯了纽约的人来说也是如此。

智者的心灵历险（序一）

首都师范大学教授　著名儿童文学作家、诗人

国际安徒生奖提名奖获得者　**金　波**

人当少年时，智慧大增，却更加渴望心灵历险，愿意体验一下“恐怖”的刺激。那感觉，让我想起坐上“过山车”的游戏，惊险中嗷嗷的呼叫声不绝于耳，既是恐怖的，又是愉悦的。

现在提供给广大读者的这套“鸡皮疙瘩系列丛书”，当你阅读的时候，就像搭乘一次心灵历险的“过山车”。

少年心理的健康发展，需要一个磨砺过程，生活阅历中的挫折，情感体验中的悲喜，精神世界中的追求，都是人生不可缺少的历程。

心理上的“恐怖”也是一种体验，它可以给予我们胆识、睿智、想象力。

这套“鸡皮疙瘩系列丛书”，在美国颇受少年儿童的青睐，甚至让那些不爱读书的孩子，也耽读不倦，爱不释

手。因此，1999年，这套丛书曾以27种文字版本出版，全球销售两亿多册，作者R.L.斯坦被评为当年最受欢迎的儿童文学作家。

是的，阅读“鸡皮疙瘩系列丛书”，与我们通常阅读小说、童话以及科幻故事相比较，颇有异趣。书中斑驳陆离的情境，浩瀚恣肆的想象，直抉心灵的震颤，蔚成奇观，参配天地。

阅读“鸡皮疙瘩系列丛书”，感受心灵探险，好奇心得到充分的满足，获得充分的自由、畅快。在想象的世界中，可以我行我素，或走马古老荒原，邂逅精灵小怪，或穿越沼泽湿地，目睹青磷鬼火，或瞻谒古宅废园，发现千古幽灵，尽情享受一番超越现实、脱俗出尘的惊险和快乐。

这里有冥茫混沌中创造出的另一个世界，这个世界中所发生的故事，虽属怪诞，甚至可怖，虽是对不真实或不存在的事物纯乎幻想与游戏性的艺术再现，但它又与我们的现实生活息息相通，就如同发生在我们身边的事情，让你相信那诸多的神灵鬼怪，其实都是摄取于现实生活中实有的人物。

阅读这些故事，随着故事的进展，情感也随之波澜起伏，有壮烈的激情，有缱绻的爱意，也有凄美的伤感。总之，阅读的快感，丰沛而多彩。

阅读这样奇异的故事，经过一场心灵的历险和心理上的恐怖体验，同样会对善与恶、美与丑，或彼或此，有所鉴别，这同样有赖读者的灵性与妙悟。

这些故事，打破现实与虚幻、时间与空间的界限，富于魔幻和神秘色彩。我们畅游于这个奇幻的世界，感受着与宇宙万物的冲突、和谐，与古今哲思的交流、契合，与人类的心力才智的感悟、沟通。

我们可以和魂灵互致绸缪，可以把怪诞嘘之入梦。我们的精神世界丰盛了，视野开阔了，心理也会为之更加强健。

要做一个智者、勇者，就要敢于经历心灵的探险。阅读这套“鸡皮疙瘩系列丛书”，虽然会有坐“过山车”的惊恐，但终将“安全着陆”。那时候，你会津津乐道，回味无穷。

斯坦大叔，请摘下你脸上那副吓人的面具（序二）

著名儿童文学理论家、作家　彭　懿

——等了这么久，R.L.斯坦终于来敲门了。

隔着门缝，我窥见月光下是一个青面獠牙的怪物，是他，戴着面具，他来了，我发现我起了一身的鸡皮疙瘩，体温降到了零度。

这个男人就站在门外。

我战栗起来，我不知道是不是应该开门让这个寒气逼人的男人进来。其实，斯坦不过是一位给孩子们写惊险小说的作家，1943年出生于美国的俄亥俄州，比被誉为“当代惊险小说之王”的斯蒂芬·金还要大上四岁。不到十年的时间，他的“鸡皮疙瘩系列丛书”（Goosebumps）就卖出了一个足以让我们的畅销书作家汗颜的天文数字——2.2亿册！

我战栗什么呢？

我战栗，是因为惊险小说在我们这里还是一大禁忌。不单是我，许多甚至连惊险小说是一个什么概念都搞不清楚的人，只要一听到“恐怖”两个字，就脸色惨白了。我们是怕吓坏了我们的孩子。但我们忘了，几十年前，在一根将熄未熄的蜡烛后面睁大了一双双惊恐的眼睛听鬼故事的，恰恰正是我们自己。

事实上，我们许多人对惊险小说都有一种饥饿感，就连斯蒂芬·金自己都沾沾自喜地说了，不论是谁，拿起一本惊险小说就回归到了孩子。恐怖，原本是人类自诞生以来最原始的一种感情，但到了小说里面，它已经变味了，衍生出了一种娱乐的功能。

我们为何会如饥似渴地去追求这种惊险呢？

恐怕是因为惊险小说或多或少地表达了现代人在潜意识中的某种对日常生活崩溃的不安，而作为它的核心，潜藏在恐怖的背景之下的“神秘”与“未知”，更是满足了人们的好奇心。还有一个重要的理由，就是有光必有影，有了恶，才看得出善。从本质上来说，人是渴望“善”与“光明”的，通常被我们忽略或是遗忘了的这种倾向，在惊险小说的阅读中都被如数找了回来。不是吗，我们不正是在惊险小说里认识到了潜伏在恐怖背后的“恶”与“黑暗”的吗？面对恐怖，我们才重新发现了被深深地尘封在心底的“正义”、“善”和“光明”。

——门外的斯坦等不及了，开始砸门了，他号叫着破门而入。

斯坦的“鸡皮疙瘩系列丛书”可是够吓人的，看看他都给孩子们讲述了一个个什么故事吧——埃文和新结识的女孩艾蒂从一个古怪的商店买回了一罐尘封的魔血。他的爱犬不小心吃了一口，于是它开始变化，那罐魔血也开始膨胀吃人……

斯坦绝对是一个来自魔界的怪物。

作为一个同行，我无法不对斯坦顶礼膜拜，每个月出书两本的斯坦怎么会有那么多诡异的灵感？他在接受《亚特兰大日报》的采访时曾说过一句话：“我整天文思泉涌，写得非常顺手……”斯坦从不吝啬自己的灵感，甚至已经到了铺张奢华的地步，这就不能不让我起疑心了，据说他房间里有一副土著人的面具，我怀疑斯坦一定是戴着这副被下了毒咒的面具不知疲倦地写作的。

除了灵感，他的想象力也是无与伦比的。

当然了，还有故事。和斯蒂芬·金一样，斯坦也是一个讲故事的高手，唯一不同的是，斯蒂芬·金是在给大人讲故事，而斯坦是在给孩子讲故事。在我们愈来愈不会讲

故事、一连串的短篇就能串起一部十几万字的长篇的今天，斯坦显得实在是太会讲故事了。他从不拖泥带水，一个悬念接着一个悬念，永远出乎你的意料之外。

记忆里，我似乎没有看到过比它们更好看的故事。

——我逃进了过道，斯坦狞笑着在后面紧追不舍。我透不过气来了，我打开一扇壁橱的门钻了进去，我在暗处打量起这个男人来。

像《魔戒》的作者托尔金提出了一个“第二世界”的理论一样，斯坦也为自己量身定做了一个理论：安全惊险。所谓的“安全惊险”，又称之为“过山车理论”，说白了，意思就是你们读我的惊险小说，就像坐过山车一样，虽然坐在上面会发出一阵阵惊叫，但到头来总会安全着陆。斯坦这人也是够世故的了，明眼人一看就知道这套所谓的理论不过是说给那些拒绝让孩子看惊险小说的大人听的，是一块挡箭牌。

尽管斯坦的“过山车理论”多少带了点贼喊捉贼式的心虚，我们还能指责他一两句，但他在惊险小说上的造诣，我们就只有仰视的份儿了。可以这么说，斯坦已经把惊险小说——至少是给孩子看的这一块——发挥到了极致。

第一，斯坦把惊险推向了我们的日常。你去看他的故事好了，它们几乎都发生在一个与你咫尺之遥的地方，就在你身边，主人公与你一样地说“酷”，与你穿一样的耐克鞋，与你拥有一样的偶像、一样的苦恼……这正是现代惊险小说的一大特征。它缩短了与读者之间的距离，使读者与书中那些与自己相似的人物重叠到了一起。只有这样，读者才会不知不觉地对那些来自魔界或另外一个世界的怪物们信以为真，才会共同体验或者说是共同经历一场可怕的恐怖。

故事发生在我们的日常，并不是说现实世界与幻想世界的界限就在斯坦的作品里消失了。实际上，这不过是幻想小说里一种常见的模式而已，即“日常魔法”（Every-day Magic），它是《五个孩子和一个怪物》的作者E.内斯比特的首创，它不像“哈利·波特”那样从现实世界进入一个幻想世界，而是颠倒了过来，即幻想世界的人物侵入到了现实世界。斯坦非常的聪明，这种“日常魔法”的写法，不需要去设置什么像九又四分之三车站一样的通道，轻而易举地就能俘获读者的“相信”。

第二，斯坦把快乐注入了惊险。写过《挪威的森林》的村上春树曾说过一句话：好的惊险小说，既能让读者感到不安（uneasy），又不能让读者感到不快（uncom-fortable）。斯坦就做到了这一点，岂止是没有不快，而是太快乐了。从斯坦的简历中我发现，斯坦曾在一家儿童幽默杂志任职长达十年之久，所以他的惊险小说才能那样逗人发噱。

——斯坦发现了我，一把把我从壁橱里面拽了出来，拽到了阳光下面。这时，他把脸上的面具摘了下来，我终于看清了他的一张脸。

斯坦戴着一副眼镜，不过，他镜片后面的那双眼睛很亮、很单纯，无邪得就像是一个孩子。这与斯蒂芬·金就大不一样了，斯蒂芬·金的那双眼睛混浊得让你不寒而栗。这也就是为什么上帝要选择斯坦来为孩子们写惊险小说的缘故吧！

真的，你读斯坦的书，就像是被一个戴着怪物面具的大叔在后面手舞足蹈地追着，他嘴里发出的尖叫声比你还恐怖，还不时地搔上你几下，你会哇哇尖叫，会逃得透不过气来，但你不会死，你知道这不过是一场游戏。

我的头在哪里

1 恐怖双煞

我和斯蒂芬妮·阿尔伯特经常在我家附近搞鬼，吓唬人玩儿。

这是去年万圣节时我们想出的好主意。

我家附近住着好多小孩，搞点鬼把戏吓唬吓唬他们，是我俩最开心的事。

有几次深夜，我们从家里偷偷溜出去，戴上面具后专找一些小孩房间的窗口往里张望。弄些橡胶做的假手和手指放在人家窗台上，这也是我们经常干的事。更让我们得意的是，我们还净往别人家的邮箱里塞些很恶心的东西。

我和斯蒂芬妮还喜欢躲在灌木丛或大树后面，趁人不备，冷不防地发出几声令人毛骨悚然的声音——动物般凶残的嚎叫或幽灵般恐怖的呜咽。斯蒂芬妮会发出像狼人一样的可怕叫声，而我只要一仰头，就可以发出撕心裂肺的尖叫声，那动静大得简直可以让树上的叶子瑟瑟发抖!

附近这几条街的小孩子都被我们吓得不轻呢。

早晨，我们发现他们都会小心地从门后探出头来，先看看出门会不会有什么危险。晚上就更不用说了，大部分人是绝不敢独自外出的。

这让我和斯蒂芬妮非常得意。

白天，我们俩就是杜安·柯麦克和斯蒂芬妮·阿尔伯特，两个普普通通的十二岁孩子。可到了晚上，我们摇身一变，就成了瀑布镇的“恐怖双煞”。

除了我们俩，没人知道这一切。没人!

瞧吧，我俩不过是惠勒中学六年级的两名学生罢了，都有一双褐色的眼睛和一头棕色头发，又高又瘦。不过，由于斯蒂芬妮的头发比我更厚，所以显得比我稍高一点儿。

我们俩总待在一块儿，几乎形影不离，因此总有人误以为我俩是亲兄妹。其实并不是那么回事，我们都是独生子女，不过这又有什么呢?!

我们两家隔着一条街。每天早晨我们一起走着去学校，午饭虽说都带的是花生酱加果酱三明治，可我们总爱换着吃。

我们很普通，绝对的普普通通。

只不过到了夜深人静的时候，我们有个不为人知的爱好。

我们是怎样成为“恐怖双煞”的呢？唉，说来话长啊……

去年万圣节那天晚上，月朗星稀，凉爽怡人，只有一轮圆月挂在光秃秃的树枝上。

我身穿长袍，手持镰刀，装扮成死神站在斯蒂芬尼的窗前，拼命踮起脚尖往里张望，一心想看看她到底会打扮成什么样子。

“喂——走开，杜安！不准偷看！”她在屋里冲我大叫一声，放下了窗帘。

“我没偷看！活动活动腿脚还不行吗？”我扯着嗓门大声说。

不知斯蒂芬妮会装扮成什么样子，说真的，我心里还真有些痒痒呢。每年万圣节她都会有绝妙的主意。就拿前年来说吧，她变成一个巨大的绿色卫生纸团，摇摇摆摆地就出门了。没错，你猜中了，她的确是扮成卷心菜了。

不过，我想今年也许我能略胜一筹。

这身死神装扮我可是花了不少心思呢。穿上那双厚底鞋，我就比斯蒂芬妮高出了一大截。那件黑色的带帽长斗篷一直拖到地上。我把棕色头发统统塞进了一个很紧的橡胶头套，还在脸上涂满了很恶心的颜色，就像面包发霉了那样。

爸爸根本不想看我一眼。他说一看到我就想吐。

耶！大功告成！

斯蒂芬妮肯定会恶心的，我真有些迫不及待了！我用镰刀敲了敲她的窗户。“喂，斯蒂芬妮——快点！”我叫道，“我都饿了，我要吃糖！”

等啊等，等啊等。我在她家门前的草坪上来回来去地踱着步子，长长的斗篷掠过青草和一堆枯树叶。

“喂，你在哪儿?”我又叫了起来。

斯蒂芬妮还是没有出现。

我不耐烦地叹了口气，转过身朝她家走去。

突然，一个毛茸茸的庞然大物蹿到我背后，一口咬掉了我的脑袋……

2 恐怖双煞在行动

唉，它并没有真的咬掉我的脑袋。

可它是想这么干的。

它咆哮着，想用它那口尖利的獠牙咬断我的喉咙。

我踉踉跄跄地后退了几步。那家伙看起来就像一只巨型黑猫，浑身上下长满了厚厚的黑鬃毛，毛茸茸的耳朵和黑色的鼻孔里挂着黄色的黏液，又长又尖的獠牙在夜色中泛着寒光。

它又吼叫了一声，挥舞着一只长满黑毛的爪子大叫道："糖——把糖全给我!"

"斯蒂芬妮……"我话都说不利索了。会是她吗?

那家伙用爪子狠狠地打了我肚子一下。这时，从那毛茸茸的手腕上戴的米老鼠手表上我才认出来，真的是斯蒂芬妮!

“哇！斯蒂芬妮！你看上去棒极了！你可真够——”没等我说完，斯蒂芬妮突然猫腰躲到了灌木树篱后，还用力把我拽到了她的身边。

我的膝盖重重地磕在了马路牙子上。

“哎哟！你疯了？”我尖叫道，“你想干什么？”

这时，一群打扮得五花八门的小不点儿从我们面前走过。“啊——”斯蒂芬妮咆哮着，突然从篱笆后面蹿了出去。

那些小不点儿都被吓傻了，他们转过身去，撒腿就跑，慌忙之中三个人的糖果袋都掉到了地上。斯蒂芬妮俯下身去，捡起那些袋子，叫道：“嗯，太好了——”

“哇，你真吓着他们了！”望着那些小孩远去的背影，我感叹说，“你可真强！”

斯蒂芬妮放声大笑起来。她的笑声频率高，听起来很滑稽，像是小鸡兴奋的尖叫声，每次我都忍不住想笑。“太好玩了，”她回答说，“比讨糖果好玩多了！”

于是，那天晚上我们尽拿小孩子们寻开心，不停地吓唬他们。虽说没要到多少糖果，可玩得开心极了。

“要是每天晚上都能这么玩就好了！”回家的路上我兴奋地说。

“可以啊，”斯蒂芬妮咧开嘴笑着说，“杜安，谁说过了万圣节就不能吓唬小孩了？明白我的意思吗？”

当然！

她仰起长满鬈毛的脑袋，迸发出小鸡尖叫般的笑声。我也被逗得笑了起来。

从这以后，我和斯蒂芬妮就开始在我家附近搞鬼了。半夜三更，“恐怖双煞”开始行动了，我们的足迹遍布整个街区，无处不在！

嗯……几乎无处不在。

因为有一个地方，就连我和斯蒂芬妮都很害怕。

那是旁边街区的一座叫做希尔城堡的古老石楼。我想，它之所以叫这个名字是因为它坐落在依山而建的希尔街上的缘故吧。

我知道，没错，很多城里都有闹鬼的屋子。

不过，希尔城堡闹鬼可是千真万确的事。

对这一点，我和斯蒂芬妮确信不疑。

因为就是在那个地方，我们见到了无头幽灵。

3 希尔城堡

希尔城堡是瀑布镇最有名的旅游景点，实际上，也是唯一的景点。

也许你曾经听说过希尔城堡，很多书里都介绍过它。

每隔一个小时，那些身穿黑色制服，看上去有些诡异的导游们就会带着游客们参观城堡。那些导游的一举一动着实有些吓人，还不停地讲关于这城堡的可怕故事。其中有些故事吓得我直打寒战。

我和斯蒂芬妮很喜欢去参观城堡，特别是和奥托一起，他是我们最喜欢的导游。

奥托是个身材魁梧、面目凶悍的光头男人，一双小小的黑豆眼好像能把人看透了似的。他嗓音低沉，声音像是从他那巨大的胸腔深处发出来似的。

奥托带着我们从城堡的一个房间走到另一个房间，有

时他会故意压低声音说话，要是不使劲竖起耳朵，根本就听不清他在说些什么。有时，他会突然瞪起小豆眼，用手指着，尖叫道：“幽灵！就在那儿！”

我和斯蒂芬妮也会跟着尖叫起来。

奥托笑起来的样子也让人心里发毛。

我和斯蒂芬妮经常往城堡里跑，差不多都可以当导游了。每一个阴森可怕的老房间，幽灵出没的每一个地方，没有我们不知道的。

真的幽灵！

我们就喜欢这种地方！

你想不想听希尔城堡的故事？好吧，下面就给你讲讲我从奥托、埃德娜和其他导游那里听来的故事：

希尔城堡已经有两百多年的历史了。自从建造它所用的那些大石块运来的那一天起，这里就已经有幽灵出没了。

这座城堡是一位年轻的船长特地为他的新娘建造的。可就在城堡竣工的那天，船长接到任务出海了。

他年轻的妻子只好独自一人住进了这座巨大的城堡。那里面冷冰冰、阴森森的，房间和走廊似乎都看不到尽头。

日复一日，年复一年，妻子坐在卧室的窗前，看着对面奔流不息的河水，耐心地盼望着船长的归来。

冬去春来，寒暑交替，过了一年又一年。

船长一去不复返。

他在大海上失踪了。

船长失踪一年后，一个幽灵在希尔城堡的大厅里现身了。那就是年轻船长的幽灵。他离开了死去的躯体，回来寻找自己的妻子。

每个深夜，船长的幽灵都在狭长而曲折的走廊里游荡，手里提着一盏灯，不停地叫着妻子的名字："安娜贝尔！安娜贝尔！"

可安娜贝尔从来都没有答应。

她伤心欲绝，早已逃离这座老房子，再也不想看到它了。

后来，另一家人搬进了这座城堡。许多年过去了，不少人都听到过那幽灵在深夜里的呼喊声："安娜贝尔！安娜贝尔！"那凄凉的声音在城堡曲折的走廊和阴冷的房间里回荡。

"安娜贝尔！安娜贝尔！"

人们总能听到这凄惨可怕的叫喊声，但却从来没人看见过船长的幽灵。

后来，也就是在一百年前，一户姓克鲁的人家买下了这座城堡。他家有一个名叫安德鲁的十三岁男孩。

安德鲁是一个讨人嫌的捣蛋鬼，总爱跟仆人们开些恶毒的玩笑，把他们吓得魂不附体。

有一次，他把一只猫扔出了窗外，结果猫安然无恙，这竟令他大失所望。

就连安德鲁的爸爸妈妈都受不了他的坏脾气。他只好整天一个人待着，在这座老房子里四处转悠，到处惹是生非。

一天，他发现了一间自己从来没进过的屋子。他伸手一推那扇沉重的木门，嘎吱嘎吱的响声不绝于耳。

然后，他走了进去。

只见一盏小提灯在小木桌上散发出微弱的光。除此之外，偌大的一个房间里没有其他任何家具，木桌旁也没有人。

真怪，他心想，为什么在这个空房间里会有一盏亮着的灯呢？

安德鲁走到那盏灯旁边，刚准备捻灭灯芯，幽灵突然出现了。

就是那个船长！

多年过后，船长已经变成了一个可怕的老怪物。他惨白的长指甲卷曲着，破碎的黑牙齿从肿胀干裂的嘴唇间突出来，乱蓬蓬的白胡子把他的脸挡得严严实实的。

男孩惊恐万状地盯着他。

“你……你是谁?”他结结巴巴地问。

幽灵一声不吭，在昏暗的灯光中飘来荡去，双眼死死地盯着男孩。

“你是谁？你想干什么？你为什么会在这里?”男孩战战兢兢地问道。

幽灵还是一言不发。安德鲁转过身——想要逃出那个房间。

可没等跑起来，他就已经感觉到脖子后面有一阵幽灵冰冷的气息掠过。

安德鲁想要抓住木门，可那个老幽灵围着他直打转，在昏暗的灯光里，就像一团黑色的烟雾把他团团围住。

“不！不!”男孩尖叫起来，“放我走!”

幽灵张开大嘴，活像是一个黑暗的无底洞。幽灵终于开口说话了——声音很轻，就像是枯叶在沙沙作响。

“既然看见我了，你就不能走。”

“不！”男孩尖叫道，“放我走！放我走！”

幽灵根本不理会男孩的哭喊，干巴巴、冷冰冰地重复着那句话：“既然看见我了，你就不能走。”

老幽灵抬手抓住了安德鲁的脑袋，冰一样的手指罩住了他的面孔，越来越用力，越来越用力。

你知道接下来都发生了什么吗？

4 无头幽灵的传说

那个幽灵揪下了男孩的脑袋——把它藏在了城堡的某个地方!

在这座黑暗的巨大城堡里藏好男孩的脑袋后，船长的幽灵最后一次发出了撕心裂肺的吼叫声，所有的石墙都随之颤抖起来。

令人发毛的吼叫声过后，无比凄惨的叫喊声再次响起：“安娜贝尔！安娜贝尔!”

随后，老幽灵便永远地消失了。

但希尔城堡仍有幽灵出没。在那曲折无尽的走廊里，一个新的幽灵在四处游荡。

那就是安德鲁的幽灵。从那以后，那个可怜男孩的幽灵每天夜里都会在走廊和各个房间里搜寻，寻找他失去的头颅。

奥托和其他导游都说，整幢楼里都能听到无头幽灵的脚步声，他一直都在苦苦寻找自己的头颅。

现如今，城堡里的每一个房间都有一个可怕的故事。

这些故事是真的吗?

嗯，我和斯蒂芬妮相信，否则我们也就不会老来这里了。

我们对这座古老城堡的探险少说也有一百次了。

希尔城堡实在是太有意思了。

至少这是个曾经很有意思的地方——可自从斯蒂芬妮再一次突发奇想，情况就彻底变了。

斯蒂芬妮突发奇想之后，希尔城堡就不再有意思了。

那里变成了一个真正可怕的地方!

5 斯蒂芬妮的“好主意”

几个星期前的一天，斯蒂芬妮突然感觉很无聊。麻烦就是从那个时候开始的。

记得大约是夜里十点，我们俩正在外面晃悠。在吉娜·杰弗的窗外学完狼嚎后，我们又往邻居特里·亚伯家的信箱里塞了些鸡骨头。其实我们这样做也没什么特别的原因，只是觉得把手伸进信箱时摸到些骨头会很恐怖。

然后，我们蹑手蹑脚地朝本·福勒家走去。

那是当天晚上的最后一站。本是我们的同班同学，可以享受特殊的“优待”。

不知道吧，本可害怕虫子了，吓唬他简直是易如反掌。

尽管天很冷，可本睡觉时总爱开着窗。所以，我和斯蒂芬妮喜欢趁机跑到他窗前，把橡胶蜘蛛扔到他身上。

只要橡胶蜘蛛落到他脸上，他就会被惊醒，放声尖叫起来。

每次都这样!

他总以为蜘蛛是活的。

他一边尖叫着，一边挣扎着想从床上爬下来。可每次他都会被被子缠住，扑通一声摔到地上。

这时，我和斯蒂芬妮就为大功告成庆贺一番，然后各自回家睡觉。

可是今晚，我们把橡胶蜘蛛扔到本熟睡的脸颊上后，斯蒂芬妮突然转过脸来，轻声对我说："我想到了一个好主意!"

"啊?"我刚想问，却被本的尖叫声打断了。

我们静静地听着他尖叫，任凭他扑通一声摔到地上。

我和斯蒂芬妮双手高高举起，击掌相庆。随后，我们跑步穿过邻居家黑暗的后院，运动鞋踩在快要冰冻的硬土地上，发出咚咚的响声。

跑到我家前院，我们在那棵树干开裂的橡树跟前停下了脚步。那树干已经完全裂成两半了，可爸爸一直不忍心把它砍倒。

"你想到什么好点子了?"我气喘吁吁地问斯蒂芬妮。

她乌黑的眼睛闪闪发光。

"我一直都在琢磨。每次咱们都只是吓唬那几个小不点儿，没什么劲了。”

我可不觉得。但我知道，只要斯蒂芬妮动了心思，那就没法再回头了。

“这么说，你是想另外再找几个小不点儿过过瘾喽?”我问道。

“不，不是这么回事。我有别的主意，”说着，她绕着树干转起圈来，“咱们得接受新的挑战。”

“比如说……”我问。

“咱们玩的都是些幼稚的小把戏，”她发起了牢骚，“怪叫，往敞开的窗户里扔东西，这点玩意儿就能把他们吓得要死了，太小儿科了。”

“没错，”我附和道，“不过，我觉得还是挺好玩的。”

她就像没听到我说的话一样，把脑袋从树干的裂缝中探了出来。

“杜安，你觉得瀑布镇最可怕的地方是哪儿?”

这个问题也太简单了。

“希尔城堡呗！还用问吗?”我不假思索地回答道。

“说对了。那么，它之所以这么可怕，是因为什么呢?”

“不就是那些幽灵的故事吗?！不过，还要数那个到处寻找自己脑袋的男孩最吓人。”

“正是!”斯蒂芬妮兴奋地叫了起来。这会儿，我能看到的只有她那颗从树干裂缝里探出来的脑袋。“无头幽灵!”她压低嗓音，迸出这几个字。随后，又爆发出一声令人发毛的长笑。

“你发什么神经?”我冲她吼了一声，“不会是想吓唬我吧?”

她的头看起来像是在黑暗中飘荡着。

“咱们得去希尔城堡转一转。”她低声宣称。

6 夜游希尔城堡

“什么?”我大叫起来，“斯蒂芬妮，你说什么?”

“我们要去希尔城堡，自己去偷偷地转一转。”斯蒂芬妮若有所思地说。

我摇了摇头说：“得了吧，为什么要这么干?”

斯蒂芬妮兴奋得涨红了脸，她的脑袋就像飘浮在树干的裂缝中间：“咱们自己偷偷去转一转——去找那幽灵的脑袋!”

我目瞪口呆地看着她，说：“你开玩笑，对吧?”

然后，我走到橡树后边，把她从树干的裂缝中间揪了出来。她那像是飘浮在空中的脑袋搞得我心慌慌的。

“不，杜安，我没开玩笑。”她挣脱我说，“咱们得迎接挑战，得找点新的刺激。在周围游来荡去、吓唬吓唬那几张熟悉的老面孔，太小儿科了，没劲!”

“可你不会把那个无头幽灵的故事当真的，对吧？”我不满地说，“那只是个幽灵故事而已。我们可以去找，不停地找，但问题是根本就没有那个头。那只是他们编出来讲给游客们听的故事。”

斯蒂芬妮眯起眼睛看着我，说：“你莫非害怕了，杜安。”

“哈！我？”我的声音变得特别刺耳。

这时，一片云彩飘过来，正好遮住了月亮，院子里顿时变得更黑了。一阵寒意直钻后背，我不由得裹紧了外套。

“我才不害怕偷偷到城堡里转悠呢，”我对斯蒂芬妮说，“我只是觉得，这完全是在浪费时间。”

“杜安，你在哆嗦，”她取笑起我来，“吓得哆嗦了。”

“没有！”我大叫道，“走吧，去希尔城堡，现在就去！我证明给你看！”

斯蒂芬妮咧嘴笑了笑，仰头发出一声长长的胜利的吼叫。“这将是‘恐怖双煞’做过的最棒的事！”她叫着，用力和我对击了一掌，我感觉手心生疼生疼的。

她拉起我，朝希尔街跑去。一路上，我一句话都没说。我是真的害怕了吗？

也许，有那么一丁点儿吧。

我们爬上杂草丛生的陡峭山坡，来到希尔城堡的石阶前。这座古老的城堡在夜幕中看起来更加威武了。这三层的楼房上有几座角塔和阳台，还有十来个黑洞洞的关得紧紧的窗户。

我们这一带的房子都是用砖块或墙板砌成的。唯独希尔城堡是用石板建造的，就是那种厚厚的青石板。

每回一走近希尔城堡，我都会屏住呼吸。石板上覆盖着一层厚厚的青苔，整整两百多年了……想想吧，那些陈腐发霉的青苔，那味儿跟芬芳扑鼻的花园真是天壤之别。

我抬起头，只见那圆形角塔矗立在黑漆漆的夜幕中，顶端那只石雕怪兽龇牙咧嘴地俯视着我们，像是在向我们发起挑战——看你们敢不敢进去!

突然间，我感觉膝盖有些发软。

整个城堡几乎被黑暗吞噬了，只有前门有一点微弱的烛光在闪烁。不过，城堡仍对游人开放，最后一拨游客通常都是十点半进去参观。导游们说，参观的时间越晚越好——这才是看幽灵的最佳时机。

大门旁边的石板上刻着这样一句话：走进希尔城堡——你的一生将会改变，永远改变。

这句话我都看过一百遍了，实在是太滑稽了——这种伎俩实在是老掉牙了。

可是，今晚这句话却让我有些心惊胆战。

“快点，”斯蒂芬妮拉着我的手，催促道，“咱们来得巧，正好赶上下一拨。”

烛光闪烁不定，笨重的木门自己就开了，不知怎么回事，这门每次都是自动开。

“喂，你到底来不来嘛?”斯蒂芬妮一边向黑洞洞的门口走去，一边冲我喊道。

“来了。”我喘着粗气回答道。

7 导游奥托

刚一进门，我们就见到了奥托。每次看到他，我总会想起那种体型巨大的海豚。因为他脑袋又光又亮，身材魁梧，活像是一只大海豚。我想：他肯定快有三百斤了！

奥托和平时一样，穿着一身黑色的制服：黑衬衣、黑裤子、黑袜子、黑皮鞋，还戴着一双手套——没错，你猜对了——也是黑的。这是所有导游的制服。

"瞧瞧，谁来了！"他叫道，"斯蒂芬妮和杜安！"说完，他笑起来，嘴巴咧得大大的，两只小眼睛在烛光里闪闪发光。

"最讨人喜欢的导游！"斯蒂芬妮迎上前去，"我们还能赶上最后一拨参观吗?"

我们通过收费口的旋转栅门，没付钱就进去了。我们已经是希尔城堡的常客了，他们都不再收我们门票钱了。

“再等五分钟左右吧，小朋友们，”奥托说，“你们俩今天这么晚还在外面，啊?”

“嗯……是啊，”斯蒂芬妮迟疑了片刻，“晚上参观不是更有意思吗，你说呢，杜安?”说完，她捅了我一下。

“当然啦!”我嘟囔了一句。

然后，我们跟另外几个等着参观的游客一道进了前厅。那几个人大多都是二十来岁的小青年。

城堡的大厅比我家餐厅和客厅加一块还要大。除了正中央的旋转楼梯外，屋里空荡荡的，连一件家具也没有。

游客们的影子映在地上，显得十分杂乱。我环顾四周，没有电灯，只有几支小小的火把挂在那墙皮剥落，到处都是裂缝的墙上，橘黄色的火苗不住地摇曳着、闪烁着。

在这跳动的火光中，我数了数周围，一共有九个人，只有我和斯蒂芬妮两个小孩。

奥托手拿一盏提灯来到前厅。他把灯举得高高的，清了清嗓子。

我和斯蒂芬妮互相看了一眼，会心地笑了起来。每次准备带领游客参观时，奥托都是这个样子。他认为提灯有助于增加整体气氛。

“女士们，先生们，”他用低沉的声音说，“欢迎来到希尔城堡，希望今晚的参观过后，您还能有幸生还。”说完，他诡异地窃笑了几声。

我和斯蒂芬妮不出声地跟着奥托继续往下说道：

“一七九五年，一位有钱的船长威廉·P.贝尔在瀑布镇的制高点为自己建造了一个家。在当时，那是这里最好的房子——足足有三层楼，九个壁炉，三十多个房间！

“为建造这座城堡，贝尔船长不惜代价。为什么？因为他想退休后与自己年轻漂亮的妻子在这里颐养天年。可是，事与愿违啊。”

奥托呵呵地笑了起来，我和斯蒂芬妮也依葫芦画瓢，他的每一个举动我们都烂熟于心了。

奥托继续说道：“贝尔船长在一次恐怖的海难中死去了——他还没来得及在这座美丽的城堡里住上一天。他年轻的新娘——安娜贝尔，在恐惧和悲痛中逃离了这座城堡。”

接着，奥托的声音变得更加低沉，他说：“不过，就在安娜贝尔离开城堡后不久，怪事便接二连三地发生了。”

每回说到这里，奥托就开始向那个旋转楼梯走去。那木质楼梯可有年头了，不仅特别狭窄，而且总给人摇摇欲坠的感觉。奥托一踩上去，脚底下的楼梯就会吱嘎作响，像是在痛苦地呻吟。

我们一言不发地跟着奥托来到二楼。我和斯蒂芬妮都很喜欢这一小段路程，因为在上楼时，奥托从来什么话都不说，只是闷着头，喘着气摸黑往上爬，而游客们也都紧紧地跟在他后面，生怕掉队。

到了贝尔船长的卧室后，奥托才又接着解说。那是一个宽敞的带有壁炉的大房间，地上铺着木地板，从窗口可以看到外面的小河。

“贝尔船长的妻子逃离城堡后不久，”奥托重复着刚才说过的话，“瀑布镇的人们便开始传说，城堡里出现了奇怪的景象。有人在城堡里看到了一个很像贝尔船长的人。人们经常看到他站在窗前，看，就是这儿，高高地举着一盏提灯。”

说着，奥托走到窗前，举起了提灯。“在月黑风高的夜晚，如果你侧耳倾听，或许，你能听见他在呼喊妻子的名字，声音是那样的低沉，那样的悲哀……”

奥托深深地吸了口气，轻声呼喊起来：“安娜贝尔！安娜贝尔！安娜贝尔……”

为了营造气氛，奥托来回晃动着手里的提灯。这时，每一个游客都已经被这个故事深深地感染了，注意力全部集中在了奥托身上。

“但是，当然啦，接下去还发生了很多事……”他神秘兮兮地轻声说道。

8 奇怪的男孩

我们跟着奥托，从一个房间走到了另一个房间。一路上，他告诉游客们，在这一百多年来，贝尔船长的幽灵是怎样在这座城堡里神出鬼没。“为了把这个幽灵赶走，住进这座城堡的人费尽了心思，可都无济于事，他就是赖着不走。”

接下来，奥托开始讲起那个男孩的故事，他发现了船长的幽灵，结果却把自己的脑袋丢了。“从此以后，船长的幽灵消失了，那个男孩的无头幽灵继续在这座城堡里出没。不过，事情并没有就此结束。”

这时，我们正走在一条又黑又长的走廊里，墙上的火把闪烁不定，忽明忽暗。“悲剧继续在希尔城堡上演，”奥托接着说，“小安德鲁死后不久，他十二岁的妹妹汉娜就疯了。来吧，咱们这就要进她的房间了。”

他带着我们来到了走廊尽头，那里是汉娜曾经住过的房间。

斯蒂芬妮可喜欢那个地方了。汉娜喜欢收集瓷娃娃，她攒了有好几百个！每个娃娃都是长长的金发、粉粉的脸蛋和蓝蓝的眼睛。

“她哥哥被夺走性命后，汉娜疯了，”奥托压低声音说，“整整八十年了，天天从早到晚，她都坐在那个角落里的那把摇椅上，玩着那些瓷娃娃。她从来没离开过这个房间，从来都没有。”

他指着那张破旧不堪的摇椅说：“汉娜就死在那上面，一个老太太，四周都是娃娃……”

奥托往屋里走去，地板吱嘎作响。来到摇椅跟前，他放下提灯，稍稍一低身子，他那巨大的身躯已塞进了摇椅。

摇椅吱吱嘎嘎地响个不停。我总觉得奥托要把它坐塌了！他倒好，慢悠悠地前后摇晃起来。他每摇一下，椅子就嘎吱吱地响。大伙一声不吭，都看着他。

“有人非常肯定地说，可怜的汉娜至今还待在这里，”他轻声说道，“他们说，他们曾经见过有个小姑娘坐在这摇椅上，为瓷娃娃梳头。”

他慢慢地摇啊摇，好让游客们细细地琢磨：“现在，我给大家讲讲汉娜妈妈的故事。”

他咕哝着，费力地从摇椅上站了起来，顺手拿起提灯，一口气爬上了走廊尽头那段又黑又长的楼梯。

“儿子惨遭不幸后没过多久，妈妈也难逃厄运。一天晚上，她正准备从这里下楼，结果却被绊倒了，摔下去，死了。”

奥托往楼梯下看了一眼，伤心地摇了摇头。

每回他都是这个样子。我不是告诉过你了吗，我和斯蒂芬妮知道他的一举一动。

不过，今晚我们到这里来可不是为了看奥托的表演。我知道，我们俩迟早是要行动的，于是我开始四处张望，看看有没有好机会可以开溜。

就是这个时候，我看到一个奇怪的男孩正盯着我们！

我记得刚进来的时候并没见到他。实际上，我可以肯定，刚开始参观时根本就没有这个人。当时我数过，一共是九个人，除我和斯蒂芬妮外，没有其他小孩。

这个男孩跟我们差不多大，一头带卷的金发，肤色苍白，没有血色。他穿着黑色牛仔裤和黑色高领毛衣，脸色更显得惨白。

我挤到斯蒂芬妮身边，她故意跟在众人的身后。

“准备好了吗？”她悄悄地问我。

这时，奥托已经开始下楼梯了。要想开溜，此时不走更待何时?!

可是，我分明看见那个奇怪的男孩一直在盯着我们。

死死地盯着我们。

我顿时觉得浑身上下的汗毛全都竖了起来。

“不行，有人正看着我们呢。”我轻声对斯蒂芬妮说。

“谁?”

“那边那个奇怪的男孩。”我动了动眼珠，示意她说。

他还在盯着我们。我们都发现他了，可他甚至都不打算假装得礼貌一点，把目光移开。

他为什么要那样盯着我们?他想干什么?

我有一种预感，我们得再等等，暂时先别离开。

可斯蒂芬妮却不这么认为。“管他呢，”她说，“他算什么嘛。”说着，她抓住我的胳膊——用力一拉，“走吧!”

我们跑到墙根，身体紧紧地贴住走廊上冰冷的墙壁。这时，其他人正跟着奥托往楼下走去。

我屏住呼吸，直到听见最后一声脚步声远去。现在，在这又长又黑的走廊里就剩下我们俩了。

我侧过身面向着斯蒂芬妮，可几乎连她的脸都看不清。

“我们现在怎么办?”我问道。

9 痒痒屋

“咱们自己去探险!”斯蒂芬妮搓着双手宣布道,“激动人心的时刻到了!”

看着面前那条长长的走廊,我并没有什么激动的感觉,确切地说,我是有些害怕。

我分明听见,走廊那头的某个房间里有低沉的呻吟声,头顶上的天花板在吱吱嘎嘎地叫个不停,刚刚经过的那个房间窗户被风吹得咔嗒咔嗒直响。

“斯蒂芬妮……你真的……”我发问。

可她已经踮着脚尖,急匆匆地向走廊那头走去。“快点,杜安,去找幽灵的脑袋吧!”她回过头来,轻声对我说,一头棕发在脑后飞扬,“谁知道呢,也许咱们真就找到了呢!”

“是啊,是啊。”我翻着白眼回答道。

我觉得这事不太靠谱，那个脑袋丢了都有一百多年了，怎么可能找得到呢？要真找着了，又该怎么办呢？

恶心！

那会是什么样子啊?！只剩下个骷髅了吧?！

我跟着斯蒂芬妮往前走，可心里却是老大的不愿意。四处转悠，吓唬吓唬别人，倒是个好主意。

我可不喜欢吓唬自己！

斯蒂芬妮带头走进了以前我们参观过的一间卧室。这个房间叫做绿屋，因为屋里的壁纸上印有绿色的葡萄藤，一簇又一簇，从墙上一直爬到天花板上，格外茂盛。

在这种地方，人可怎么睡得着啊？我心里直犯嘀咕，多像是被困在茂密的丛林里啊。

我们在房间门口停了下来，打量着身边乱糟糟的葡萄藤。我和斯蒂芬妮给绿屋起了另一个名字——痒痒屋。

有一次，奥托告诉我们，六十多年前这个房间里发生过一件可怕的事。住在这个房间里的两位客人一觉醒来，发现自己长了一种恶心的紫色皮疹。

起初是在手掌和胳膊上，后来满脸都是，最后浑身上下没有一处幸免。

大块的紫色皮疹痒得简直要了他们的命。全世界的名医都被请来会诊，可谁也不知道这究竟是怎么回事，谁也没法治愈这种怪病。

绿屋里的某些东西引来了这种怪病。

可没有人知道究竟是怎么回事。

奥托和其他导游都是这样说的。也许是真的吧。奥托讲的那些奇怪而可怕的故事可能是真的吧，谁知道呢？

“快点，杜安！”斯蒂芬妮突然回过神来，“咱们来找脑袋吧，要不，奥托一会儿就会发现咱们不见了。”

她飞快地跑进屋里，一头钻到了床底下。

“斯蒂芬妮——你干什么呀！”我惊讶地叫道，小心翼翼地走近屋子角落里的一个矮木柜跟前。

“咱们不是到这种地方来找脑袋的，走吧！”我恳求她说。

她已经钻到床底下去了，根本听不见我在说什么。

“斯蒂芬妮——”

过了一会儿，她终于出来了，满脸涨得通红。

“杜安！”她叫道，“我……我……”

她瞠目结舌，一副惊恐万状的样子，双手使劲地抓挠着脸颊。

“怎么了？出什么事了？”我慌了神，跟跟跄跄地朝她走去。

“哎哟，痒，痒死我了！”斯蒂芬妮呜咽着。

我想喊，可声音却卡在嗓子眼儿里，一句话也说不出来。

斯蒂芬妮又抓又挠，脸蛋、脑门、下巴，一处也不放过。

“哎——哟，痒死人了！实在是太痒了！”她开始用双手猛抓自己的头皮。

我抓住她的手臂，想把她从地板上拽起来。“是皮疹！得送你回家！”我大叫起来，“快点！你爸妈会找医生的！然后……然后……”

我突然停了下来，因为她竟然在笑！

于是，我甩开她的手臂，往后退了一步。

她站起来，整理了一下头发，低声说：“杜安，你这个傻瓜！难道今晚的每一个玩笑你都会上当吗?”

“才不是呢!”我气鼓鼓地回答道，“我只是以为……”

她推了我一下：“你也太容易受惊吓了。这么白痴的玩笑，你居然也上当?!”

我也推了她一把：“别再开这种白痴的玩笑了，行吗?”我大声叫道，“我可是认真的，斯蒂芬妮！这一点儿也不好玩，真的。我再也不会相信任何白痴的玩笑了，你连试都甭试!”

她根本没听我说，瞪圆双眼，张大嘴巴，望着我身后发呆。

“嗯，我不，不信!”她结结巴巴地说，“在那儿！那个脑袋就在那儿!”

10 安德鲁的卧室

我又上当了。

真是没辙。

我尖叫一声。

我猛地回过身去，由于用力过猛，差点把自己带倒。顺着斯蒂芬妮手指的方向，我定睛一看——

一大团灰土。

“傻瓜！傻瓜!”她打了一下我的后背，咯咯地笑了起来。

我双手握拳，气呼呼地低吼了一声。不过，我一句话也没说，脸颊滚烫滚烫的，我知道自己肯定脸红了。

“你也太胆小了，杜安，”斯蒂芬妮又取笑我，“你就承认了吧。”

“咱们还是回参观队伍里去吧。”我嘟囔道。

“没门儿，杜安。这多好玩啊！咱们到隔壁屋子看看，来啊！”

见我没有动弹，斯蒂芬妮又说：“我再也不像刚才那样吓唬你了，我保证！”

别看她信誓旦旦的，可我亲眼看见她把中指搭在食指上，摆明了是打算食言的。可我还是跟上了她。

我还能有其他选择吗？

我们轻手轻脚地穿过狭窄的走廊，钻进了隔壁那间屋子，结果发现那是安德鲁的房间，那个可怜的没有了脑袋的安德鲁。

房间里还摆放着原先那些东西，一百多年前的玩具，老式的木质自行车倚靠在墙上。

一切都保持着原样，与安德鲁见到船长幽灵前的情景一模一样。

矮柜上的一盏提灯散发着昏暗的光，幽蓝色的魅影在墙上蔓延。我也说不清自己是不是真的相信这个幽灵的故事。可我似乎有种感觉，如果说安德鲁的脑袋真的是在什么地方的话，那一定就是这里了！就在他的房间里！

也许，就在那挂着老式帐幔的床底下。也许，藏在那堆尘土厚积的退了色的玩具下面。

斯蒂芬妮踮起脚尖，轻轻地走到玩具前。然后，她弯下腰，一件件地搬开那些东西：小小的木质保龄球瓶、退

了色的老式游戏棋盘、一整套金属制作的玩具兵人。

“杜安，你到床上去找找看。”她低声吩咐我。

我一边往房间的另一头走去，一边说：“斯蒂芬妮，咱们不应该动这些东西。你也不是不知道，那些导游从来不让我们碰任何东西的。”

斯蒂芬妮放下一个破旧的木陀螺，回答说：“你还想不想找那个头了？”

“你还真的以为这屋子里藏着幽灵的脑袋吗？”

“咱们来不就是要搞清这件事的吗，杜安？”

我叹了口气，走到床边。看来，今晚是没法儿跟斯蒂芬妮争了。

我把脑袋伸进安德鲁的紫色帐幔里，仔细打量起这张床来，心想：有个孩子确确实实在这里睡过。

一百多年前，安德鲁确确实实在这张床上睡过。

一想到这里，我不禁毛骨悚然。

眼前似乎浮现出这样一个场景：一个年龄与我相仿的男孩正睡在这张沉重而古老的床上。

“快点儿，快把那张床检查一下。”斯蒂芬妮在房间的那头冲我喊道。

我弯下身子，拍了拍那床灰色和棕色布料拼缝的被子。那被子摸上去冷冷的，滑滑的。

我又拍了拍枕头，松松软软的，看来枕套里是藏不了

什么东西的。

我刚准备检查床垫，被子突然动了一下。

被子蹭着床单，轻轻地沙沙作响。

我瞪大了眼睛，呆若木鸡，只见那床灰棕两色的被子开始从床尾滑落。

床上根本没人！没人！

可是，分明是有人在拉被子，正把被子拉向床尾。

11 可怕的骷髅

我强忍着没叫出声来。

“你动作得迅速点，杜安！”斯蒂芬妮催促道。

我转头一看，原来是她站在床尾，双手揪着被子往外扯呢。

“咱们可没有一整晚的时间！”她大声说着，又扯了扯被子，“床上什么也没有，走吧，快走吧。”

我不由得叹了口气。斯蒂芬妮拉了拉被子，又把我吓了一跳。

床上没有幽灵，没有幽灵推开被子来抓我。

只有斯蒂芬妮。

幸好这回她没看见我被吓成什么样子。

我俩一起把被子拉回到原位。她冲我笑了笑，说：“真好玩。”

“没错，”我附和道，但愿她没发现我还在发抖，“这要比往本·福勒的卧室里扔橡胶蜘蛛好玩多了。”

“我喜欢这么晚还待在城堡里。我喜欢偷偷离开队伍，独自行动。我能感觉得到，此时此刻，有个幽灵就在我们身边。”斯蒂芬妮低声嘀咕道。

“你……你能……能感觉到?”我话都说不利落了，飞快地向四周看了看。

我的目光突然被房门底部的什么东西吸引住了。

它就在那儿，就在门口墙角的地板上，一半被阴影笼罩着。

那个头。

这次，我看见那个头了。

不是开玩笑，不是恶作剧。

在那片黑灰色的阴影里，我看见了一个圆圆的骷髅，而且我还看见，那上面有两个黑沉沉、空洞洞的眼窝。那个骷髅上有两个黑洞!

它们正盯着我!

死死地盯着我!

我紧紧抓住斯蒂芬妮的手臂，抬手向骷髅的方向指去。

没有必要。

斯蒂芬妮也看见了。

12 该轮到我当英雄了

我率先采取了行动，一步一步地向门口走去。

我听见急促的喘息声，有人正喘着粗气，紧跟在我身后。

过了好一会儿，我才反应过来，原来是斯蒂芬妮。

我盯着那个骷髅，朝那个黑糊糊的角落走去。我弯下腰，伸出双手，心都快要蹦到嗓子眼儿了。

那两个黑洞洞的眼窝死死地盯着我。瞧，那双圆圆的眼睛有多么悲哀啊！

我双手抖得厉害。

刚想捧起那个……

可它却从我手中滑走了，越滚越远。

只见那个骷髅朝着斯蒂芬妮滚去，她尖叫起来。

借着提灯昏黄的光线，我看见她惊恐失色，吓得一动

也动不了。

那个骷髅在地板上滚动着，撞到她的运动鞋后，慢慢地停在了她的面前。

那两个黑洞洞的眼窝死死地盯着她。

“杜安——”她低着头，双手捂住脸颊，大叫道，“我没想到——真是没想到，我们真的找到了。我……我……”

我赶忙跑到她身边，心想：现在该轮到我当英雄了！这回可要让斯蒂芬妮好好开开眼，让她长长见识，我才不是胆小鬼呢！

一定要证明给她看。

我双手捧起那个幽灵的脑袋，把它举到斯蒂芬妮的面前，然后朝着提灯凑近了几步。

这个骷髅摸上去硬邦邦的，比我想象的要光滑些。

两个黑眼窝深不见底。

斯蒂芬妮紧紧地靠着我，跟我一起向昏黄的提灯靠近。

可当我突然发现手里捧的根本不是什么幽灵的脑袋时，不由得重重地叹了口气。

在看清了我手里的东西后，斯蒂芬妮也跟着叹了口气。

13 勇敢的提议

是个保龄球!

我手里捧着的是个木质保龄球，发白的表面斑驳开裂，破败不堪。

“难以相信!”斯蒂芬妮拍着脑门，不停地嘟囔道。

这时，我发现在安德鲁的那堆旧玩具里，有几个木质的保龄球瓶。“这个球和那些瓶子应该是一套的。”我轻声说道。

斯蒂芬妮一把抓过木球，翻来翻去看了一阵，说：“可这个球上只有两个洞啊。”

我点了点头说：“没错，以前的保龄球就只有两个洞。有一次去打保龄球时我爸爸告诉过我，可他始终没弄明白，以前人的大拇指都搁在哪儿。”

斯蒂芬妮把两个手指伸进那两个洞里，也就是那两个黑“眼窝”。看得出来，她是真的很失望。

正在这时，奥托的声音从楼下的什么地方传来。

斯蒂芬妮叹了口气，说：“也许咱们该下楼，回到参观队伍里去了。”她耸了耸肩，让球滚回了玩具堆里。

“不可能!”我大叫道。

现在我可是个勇士了，我就喜欢这样！决不退缩!

“时间有点太晚了，”斯蒂芬妮说，“而且，咱们在这里根本找不到幽灵的脑袋。”

“这是因为这些房间咱们已经来过好几百回了，”我对她说，“我觉得，咱们应该去那些从来没进去过的房间里找找。”

她眉头紧锁，沉思了片刻，问道：“杜安，你的意思是……”

“我的意思是，幽灵的脑袋很有可能藏在游客从来没有参观过的某个房间里。也许是在楼上，你知道的，顶楼。”

斯蒂芬妮瞪起双眼说：“你想偷偷溜到顶楼上去?”

我点点头说：“不行吗？很有可能，那里才是所有幽灵出没的地方呢——对吧?”

她打量着我，目不转睛地盯着我的眼睛。很明显，我勇敢的提议让她非常意外!

当然，我根本就没有那么大无畏。刚才这么说无非是想引起她的注意，无非是想当一回勇敢的大英雄。

真希望她刚才一口回绝，真希望她会说："杜安，咱们还是回楼下去吧。"

可事与愿违，她兴奋地咧开嘴，大笑道："好吧，就这么着!"

14 顶楼探险

于是，我只好继续充当那个勇敢的人了。

现在，我们两人都必须壮起胆来了，因为“恐怖双煞”已经踏上了黑黢黢、晃悠悠的楼梯，正往三楼走去。

楼梯旁边竖有一块告示牌：游客止步。

我们径直走了过去，肩并肩地走在这狭窄的楼梯上。

这会儿，我已经听不见奥托的声音了，耳边只有楼梯发出的吱吱嘎嘎的响声，还有自己怦怦的心跳声。

来到顶楼，我感到空气顿时变得潮湿而闷热起来。我不由得眯起了眼睛，只见面前是一条又黑又长的走廊，既没有提灯，也没有蜡烛。

唯一的光线是从走廊尽头的一扇小窗户里透进来的，那苍白微弱的光把一切都笼罩上一层诡异可怕的蓝色。

“咱们就从第一个房间找起吧。”斯蒂芬妮轻轻撩开搭

在脸上的几缕长发，轻声对我说。

这里实在是太热了，我已经是满脑门儿都是汗了。我抬起胳膊，用衣袖擦了擦汗，跟着斯蒂芬妮走进了右边第一个房间。

那扇笨重的木门是虚掩着的，我们侧身溜了进去。幽蓝的光从尘封的窗户透进屋里。

等眼睛适应了屋里的光线后，我才发现原来这是个挺大的房间。

屋里空空荡荡，一无所有，没有一丝生气。

也没有幽灵。

"斯蒂芬妮——看啊！"我指着远处墙上的一个小窄门叫道，"咱们看看去吧。"

我们轻手轻脚往里走去，透过灰蒙蒙的窗户，隐约可以看到一轮满月正高高地挂在树梢上。

那扇门是通往另一个房间的，那里空间更小，温度更高。靠墙的一个蒸汽散热器发出叮当叮当的响声，屋子正中央是两张面对面摆放的老式躺椅。除此之外，就没有其他家具了。

"咱们再去别处看看吧。"斯蒂芬妮小声说。

又有一扇小门通往另一间黑黢黢的房间。"楼上的房间全都连着的。"我刚嘀咕完，就打了个喷嚏，接着又是一个。

“嘘——轻点，杜安，”斯蒂芬妮责备我说，“幽灵会发现我们的。”

“我忍不住了，”我不满地说，“这里灰太大了。”

这个房间好像是个缝纫屋，窗前的桌子上放着一台很古老的缝纫机，脚下的一个小盒里装满了黑色的线球。

我俯下身，伸手在那个线盒里使劲抓了抓，可以肯定，里面没有幽灵的脑袋。

我们走进下一个房间后，才发现里面几乎伸手不见五指。

窗户开了一条小缝，只有几缕暗淡的光照在屋里。

“我……我什么也看不见了，”斯蒂芬妮紧紧地抓住我的手臂，紧张地叫道，“这儿太黑了，杜安，咱们赶快走吧。”

我刚想回答，突然间，砰的一声巨响，惊得我差点喘不上气来。

斯蒂芬妮的手抓得更紧了：“杜安，是你搞的吗？”

又是砰的一声，这回离我们更近了。

“不……不是我。”我结结巴巴地说。

紧接着，地板上又传来砰的一声。

“这屋里还有别人。”斯蒂芬妮小声说。

我深深地吸了口气。

“是谁？”我叫道，“谁在这儿？”

15 黑暗中的黄眼睛

"谁在这儿?"我壮起胆又叫了一声。

斯蒂芬妮太使劲了，把我的胳膊掐得生疼，就这样，我也没想过把她推开。

轻轻的脚步声，我听到了，那种幽灵般的脚步声。

我的后脖颈儿直发冷，拼命咬紧牙关，免得上下牙没完没了地直打架。

突然，两只黄眼睛从黑暗中向我们飘过来。

是四只黄眼睛!

这个怪物有四只眼睛!

我听到自己喉咙里发出咕噜咕噜的声音，我几乎透不过气来，身体一动也动不了。

我的双眼紧紧地盯着前方，两腿直直地立在那儿。

看!

那四只眼睛分开了！两只往左，两只往右。

“不……不……”又有更多的眼睛出现了，我不由得喊出声来。

黄眼睛遍布了房间的每一个角落。它们紧贴着墙壁，透着一股邪气，死死地盯着我们。

满地都是这种黄眼睛。

我们被黄眼睛团团包围了。

我和斯蒂芬妮蜷缩成一团，站在房间中央，那些像猫一样的黄眼睛在黑暗中正紧紧盯着我们俩。

像猫一样的眼睛。

就是猫眼睛！

因为这屋里根本到处都是猫！

一声刺耳的猫叫声暴露了它们的身份。“喵——”从窗台上传来一声长长的猫叫，我和斯蒂芬妮如释重负，长长地松了口气。

突然，有只猫从我的腿旁一擦而过，吓得我立即起身躲避，结果却撞到了斯蒂芬妮。

她用力把我顶了回来。

更多的猫开始喵喵地叫个不停。又有一只猫跑动时蹭到了我的裤脚。

“我……我想，这些猫应该挺寂寞的，”斯蒂芬妮结结巴巴地说，“你觉得有人来过这里吗？”

“管他呢!”我不耐烦地说，“看看周围这些黄眼睛，我想……我想……嗯……我都不知道自己在想什么了！这儿好诡异啊，咱们还是赶快走吧。”

只有这一次，斯蒂芬妮没反驳我。

她率先向房间里头的那扇门走去。无数的猫在我们身边吱哇乱叫。

又有一只猫碰到了我的腿。

斯蒂芬妮还被一只猫绊倒了。虽说屋里黑洞洞的，可我还是能看到她倒下去，砰的一声跪倒在地上。

所有的猫都开始尖声叫起来。

“没事吧?”我叫着，赶忙上前扶她起来。

猫的叫声实在是太响了，我根本听不见她的回答。

我们深一脚浅一脚地挪到门口，夺门而逃。

幸好出来时我还记得顺手拉上了门，这回总算是安静了。“咱们这是在哪儿啊?”我嘟囔了一句。

“我……我也不知道。”斯蒂芬妮说话还是不太利索，身体软塌塌地靠在墙上。

我走到一扇又高又窄的窗户前，透过积满灰尘的窗户向外张望。窗外有一个小阳台，从盖有灰色瓦片的屋檐下伸出。

苍白的月光透过窗户照进屋里。

我转过身来，对斯蒂芬妮说：“咱们好像是在后面的走廊里吧。”那条又长又窄的走廊似乎永远没有尽头，“没准儿这些屋子是给工作人员住的，比如说巡夜人曼尼、清洁工，还有那些导游什么的。”

斯蒂芬妮叹了口气，看着那长长的走廊说：“咱们还是下楼去找奥托和其他游客吧。我想，今晚的探险就到此为止了。”

正合我意！我说：“走廊尽头一定会有楼梯，走吧。”

可我刚走出四五步，突然感觉到一双幽灵般的手在向我伸来。

那双手拂过我的脸庞……脖子……身体……

那是一双黏黏的无形的手。

那双手粘在我的皮肤上，把我往后推。

“啊，救命！”斯蒂芬妮呻吟道。

看来，幽灵也抓到她了。

16 蛛丝缠身

幽灵那双薄纱般的手从我身上拂过，我分明感觉到那轻轻的手指——像空气一样干热绵软——紧紧地抓住了我的皮肤。

斯蒂芬妮拼命地甩动双手，在我身后那黑黢黢的走廊里，她极力想要挣脱。

“它……它怎么像是一张网！”她上气不接下气地喊。

我使劲抹了一把脸和头发。

刚转过身去，那双黏黏的手就已经把我抓住，而且越抓越紧。

这时，我恍然大悟，原来我们根本就没有落入幽灵的魔爪。

我左右开弓，又是撕又是扯。我知道，我们这是撞上蜘蛛网了！

很厚很厚的蜘蛛网。

这厚厚的黏糊糊的蜘蛛网就像一张从天而降的渔网，把我们罩得严严实实的。我们越是挣扎，它缠得越紧。

“斯蒂芬妮——是蜘蛛网！”我叫道，把一大团的蛛丝从脸上揪开。

“当然是蜘蛛网！”她扭动着身体，手脚乱动一气。“不然你以为是什么？”

“嗯……幽灵。”我嘀咕了一声。

斯蒂芬妮暗笑道：“杜安，我知道你的想象力很丰富。但你要是觉得哪儿都有幽灵的话，那咱俩就甭想从这儿出去了。”

“我……我……我……”我不知说什么好。

其实，她心里想的还不是跟我一样。她肯定也以为自己被幽灵抓住了，可这会儿又来装蒜了，好像自己什么事儿都知道似的。

站在那黑糊糊的走廊里，我们俩撕扯着脸上、手上和身上的蛛丝，我简直是气不打一处来，粘在头发上的那些说什么也弄不下来。

“看来，这痒得折磨我一辈子了！”我哭丧着脸说。

“还有更糟的呢！”斯蒂芬妮嘀咕道。

我从耳朵上揪下一大团蛛丝：“啊？”

“你知道这些蜘蛛网是什么东西织的?”

这种问题还用问吗?“蜘蛛?”

我的手脚开始感到刺痛，后背奇痒无比，脖根处有种灼痛感。

是蜘蛛在身上爬来爬去吗?会有成千上万只蜘蛛吗?

这时，我哪里还顾得上那些蜘蛛网了，撒腿就跑。斯蒂芬妮也没落下，跟我一起沿着走廊一路飞奔，不时地抓挠、拍打着自己。

“斯蒂芬妮——下回你再有什么好主意，千万别再告诉我了!”我警告她说。

“还是先离开这儿再说吧!”她抱怨道。

很快，我们就跑到了走廊的尽头，双手还是不停地抓挠。

但是，没有楼梯。

这可怎么下楼呢?

我们从左首边拐过去，发现又有一条走廊。墙壁上低矮的蜡烛摇曳着烛光，光影投射在破旧的地毯上，仿佛是一只只逡巡的动物。

“来吧。”我一把抓住斯蒂芬妮的手臂。我们已别无选择，必须沿着这条走廊走下去了。

我们肩并肩地往前走，所有房间都是黑沉沉、静悄悄的。

我们一路走去，蜡烛的火苗摇曳不定。长长的身影在我们面前颤动，好像下楼的心情比我们更加急迫。

突然间，我听到了笑声，不由得停下了脚步。

“咦?”斯蒂芬妮喃喃自语道。她大声地喘着气，瞪大了双眼。

我们俩都竖起了耳朵。

有说话声，就在走廊尽头的那间屋子里。

门是关着的。听不清说的是什么，但我清楚地听到一个男人说了几句话，一个女人笑了起来，接着其他人也笑了起来。

“咱们赶上其他游客了。”我轻声说。

斯蒂芬妮紧绷着脸，反驳我说：“游客是从来不允许到顶层来的。”

她走近房门，侧耳细听。

又一阵笑声从屋里传来。有很多人在欢笑、在畅谈，很像是一次大聚会。

我也把耳朵贴到门上：“我想，可能是参观结束了，大伙儿都在聊天吧。”我小声说道。

斯蒂芬妮搔了搔后脖颈儿，从头发里拽出一团黏糊糊的蛛丝：“行了，杜安，快点儿。打开门，咱们去找他们吧。”

“但愿奥托不要问咱们上哪儿去了。”我回答道。

我抓住把手，推开了门。

我和斯蒂芬妮往里迈了一步。

不由得同时倒吸了一口冷气。

17 神秘的聚会

房间是空的。

空荡荡，静悄悄，黑黢黢。

“怎么回事？人都去哪儿了？”斯蒂芬妮大叫起来。

我们又往这个黑屋子里迈了一步。地板吱嘎作响，除此之外，听不到其他任何声响。

“真搞不懂，”斯蒂芬妮嘀咕道，“刚才明明听到声音了，对吧？”

“是啊，”我回答说，“他们都在说笑，感觉就像是在聚会。”

“好多人的聚会，”斯蒂芬妮附和着，眼睛向四周扫视，“有一大群人呢。”

我感觉后背像是被人灌了盆凉水似的，压低嗓音说：“我想，刚才咱们听到的不是人在说话。”

斯蒂芬妮转过身来问道："啊?"

"他们不是人，"我的声音突然变得有些嘶哑，"是幽灵。"

她惊呆了，嘴巴张得大大的："咱们一推开门他们就消失了?"

我点了点头："我……我想，我能感觉到他们还在这儿。没错，我感觉到他们就在这儿。"

斯蒂芬妮吓得尖叫了起来："感觉到？你什么意思?"

正在这时，一阵冷风吹进屋里，又干又冷，仿佛整个身体都被吹透了似的，从头凉到了脚。

斯蒂芬妮肯定也感觉到了，她双臂紧紧地环抱在胸前。"哎哟，好冷啊！你感觉到这阵风了吗？窗开着吗？怎么突然间变得这么冷了?"她一连问了好几个问题。

她又哆嗦了起来，声音变得更小了："这里不止咱俩，对吧?"

"可能吧，"我小声回答道，"我想咱们肯定是打搅别人聚会了。"

我和斯蒂芬妮呆呆地站在那儿，任由冷风迎面吹来，一动也不敢动。没准儿我们身边就站着一个幽灵呢。没准儿刚才说话的那些幽灵就站在我们身边，紧紧地盯着我们，正随时准备向我们发起攻击……

"斯蒂芬妮，"我小声说，"要是咱们真的打搅他们聚会了，那可怎么办？要是咱们真的闯入了幽灵的住所，那可怎么办?”

斯蒂芬妮用力咽了口唾沫，一声也没吭。

那个幽灵男孩安德鲁是不是在误闯幽灵住所时掉的脑袋？我们目前是不是也站在同一地方？安德鲁是不是就在这个房间里发现老船长的幽灵的?

“斯蒂芬妮，我想咱们得离开这儿，”我悄悄地说，“现在就走。”

我真想拔腿就跑，恨不得赶快飞到楼下去，飞出希尔城堡，回到我那没有幽灵的安全温暖的家。

是的，没有幽灵。

我们飞快地转过身，直奔门口冲去。

幽灵会不会设法拦住我们?

没有。我们顺利地回到了烛光昏暗的走廊上，而且还顺手关上了那扇房门。

“楼梯，楼梯在哪儿?”斯蒂芬妮急了。

我们站在走廊的尽头，面前是一堵厚厚的墙。墙纸上的花仿佛一开一合，在跃动的烛光中四处移动。

我双手握拳，用力砸墙：“怎么办？怎么才能离开这儿?”

这时，在走廊的另一边，斯蒂芬妮已经打开了一扇门。我连忙跟着她走了进去。

“哦，不!”屋子里到处都是幽灵的黑影！过了好一会儿，我才反应过来，原来那是用来盖家具的布单子。椅子和沙发都用这样的布单子盖着。

“也……也许这是幽灵的客厅。”我结结巴巴地说。

斯蒂芬妮早已穿过另一面墙上那扇开着的门，根本就没听见我说的话。

我又跟着她进了另一个房间，那里堆满了大大的柳条箱，一层又一层，都快顶到天花板了。

我们走进了一个又一个房间。

我的心怦怦直跳，喉咙疼得要命。

我真是有些心灰意冷了，到底能不能找到楼梯啊?

又是一扇门，又是一个漆黑一团、空空如也的房间。

“嘿，斯蒂芬妮……”我小声叫道，“我想咱们是在兜圈子。”

一条弯弯曲曲的长走廊又出现在我们面前，那里有很多蜡烛，墙纸上也有很多闪动的花。

我们并排往走廊尽头跑去。突然间，我们停下了脚步，有扇房门上挂着一个马蹄铁，这可是我们从来没有见过的。

也许，我们就要走运了。我真希望如此!

我用颤抖的手握住门把，拉开了门。

是楼梯!

“耶!”我兴奋地大叫起来。

“总算找到了!”斯蒂芬妮也大喊道。

“这肯定是佣人走的楼梯,”我估摸道,“也许刚才咱们一直在佣人住的地方转悠呢。”

楼梯黑黢黢的,好像很陡。

我扶着墙,试探着往下迈了一个台阶,又一个台阶。

斯蒂芬妮一手搭在我肩膀上,跟着我一步一步地往下走。

一步又一步,我们的运动鞋踩在楼梯上发出轻微的声响,在陡峭的楼道里不住地回响。

刚走了十几步,我突然听到了脚步声。

有人正往楼上走来。

18 你们找到我的头了吗？

斯蒂芬妮重重地撞到了我身上。我连忙伸手扶住墙，以免从楼梯上摔下去。

已经来不及转身逃走了。

脚步声越来越响，越来越重。一束手电筒的光从斯蒂芬妮身上扫过，然后照到我的身上。

我眯起眼睛，只见一个黑影正朝我们走来。“原来你们在这儿啊！”低沉的声音在楼梯上回响起来。

这声音听起来挺耳熟的。

“奥托！”我和斯蒂芬妮不约而同地叫道。

他三步并作两步蹿到我们面前，用手电分别照了照我们的脸。“你们俩在这儿干什么？”他气喘吁吁地问。

“嗯……我们迷路了。”我连忙搪塞道。

“我们和其他人走散了，”斯蒂芬妮附和道，“一直在找你们呢。”

“没错，一直在找，”我补了一句，“我们到处在找你们，可就是找不到。”

奥托放下手电。看得出来，他正眯缝起那双小黑豆眼打量着我们。我想：他肯定不相信我们。

“我以为你们闭着眼睛都不会走错呢。”他说完，摸了摸下巴。

“是啊，”斯蒂芬妮硬着头皮说，“可我们刚一转身就迷路了，我们……”

“问题是，你们怎么会上到顶层呢？”奥托不依不饶地追问。

“嗯……”我支吾了半天，也想不出怎么回答才好，于是我转过身，看着站在上一级楼梯上的斯蒂芬妮。

“我们听到楼上有声音，还以为是你呢。”她对奥托说。

这不全是谎话，我们确实是听到声音了。

奥托用手电照着楼梯：“好了，咱们下楼去吧。谁也不能上楼，这里是不对外开放的。”

“对不起。”我和斯蒂芬妮含糊地说了一句。

“小心台阶，小家伙们，”奥托提醒说，“后面的楼梯可是很陡，很不结实的。我这就带你们回参观队伍里去，我来找你们的时候，是埃德娜在替我。”

除奥托外，埃德娜是我们最喜欢的导游。她年纪很大，头发全白了，脸色苍白，看上去很虚弱，尤其是穿上导游的黑色制服就更显憔悴。

不过，她讲起故事来却是特别的棒。她的声音颤抖而富于沧桑感，你会把她讲的每一个恐怖故事都当成是真的!

我和斯蒂芬妮跟着奥托迫不及待地从楼梯上冲下来。他打着手电，把我们带到了二楼，我们沿着一条长长的走廊往前走，这个地方我们实在是太熟悉了。

在约瑟夫·克鲁的书房前，我们停下了脚步。约瑟夫就是安德鲁的爸爸。我偷偷往里瞥了一眼，壁炉里炉火烧得正旺。

埃德娜站在壁炉前，正向游客讲述约瑟夫的故事。

这个悲惨的故事我和斯蒂芬妮都听到好几百遍了。安德鲁被幽灵揪掉脑袋一年后的那个冬天，一天深夜约瑟夫回到家，脱去大衣走到壁炉前想暖暖身子。

谁也不知道约瑟夫是怎样被烧死的。至少，奥托、埃德娜和其他导游都是这样说的。是被人推进壁炉的，还是自己不小心跌倒的，所有人都不甚了了。

说什么的人都有。

可第二天早晨，女佣走进书房时看到了可怕的一幕。

两只烧焦的黑手紧紧地抓着壁炉的护栏。

那两只手紧紧地抓在了大理石做的护栏上。

约瑟夫·克鲁就剩下这么一丁点儿了。

很恶心，对吧?

我每听一遍就吓出一身冷汗来。

奥托带我们走进书房时，埃德娜正好说到故事的结尾，也就是最令人毛骨悚然的地方。“你们还想和其他人一起继续参观吗?”奥托轻声问道。

“挺晚的了，我想我们还是回家好了。”斯蒂芬妮对他说。

我立马接话：“谢谢你救了我们。我们过两天再来吧。”

“晚安，”奥托关上手电说，“你们自己知道该怎么走。”说完，他快步走进书房去了。

我们刚想走，突然又看见了那个男孩，那个面色苍白、留着金色鬈发、身穿黑色仔裤和套头衫的男孩。

他离其他游客远远的，站在靠门的地方。他还是那样直直地盯着我和斯蒂芬妮，眼睛一眨也不眨，脸上冷冰冰的，一点表情都没有。

“走吧。”我小声说完，抓起斯蒂芬妮的手臂往外拉了拉她。

我们很快就找到了前面的楼梯。不一会儿，我们便推开前门，走了出来。下山的时候，一阵阵冷风向我们袭来。天上，一缕缕乌云仿佛一条条黑蛇，缠绕在月亮四周。

“嘿，还真有意思!”斯蒂芬妮大发感慨，把外衣的拉链一直拉到了下巴。

“有意思?”我真怀疑自己的耳朵，“有点恐怖是真的。”

斯蒂芬妮咧开嘴冲我笑了笑：“可我们并不害怕——对吧?”

我不由得打了个哆嗦：“是啊。”

“我想再回去探险，”她说，“你知道，也许就在那个有人说话的房间，我想找到几个货真价实的幽灵。”

“好啊，太好了。”我随声附和道。真不想跟她争了，我实在是太累了。

她从大衣口袋里掏出一条羊毛围巾，往脖子上一甩，围巾的另一头却被一棵低矮的常青灌木丛钩住了。

“哎哟——”她叫道。

我走到灌木丛旁，想帮她把围巾摘下来。

正在这时，我突然听到了说话声。

那声音很轻，是从灌木丛后面发出来的。

但我听得一清二楚。

“你们找到我的头了吗?”

我听到的就是这一句。

“你们找到我的头了吗？你们帮我找到了吗?”

19 想看真的幽灵吗？

我倒吸了一口冷气，瞪大眼睛使劲盯着灌木丛后面看。

“斯蒂芬妮——刚才你听到了吗？”我好不容易才憋出一句话来。

没人回答我。

“斯蒂芬妮？斯蒂芬妮？”

我转过身去，只见她目瞪口呆地看着我。

“刚才你听到有人在小声说话吗？”我又问了一遍。

我这才反应过来，原来她根本没有看我，而是正盯着我身后看呢。

我又转过身——那个怪怪的金发男孩正站在灌木丛后面。“喂——刚才是你在对我们说话吗？”我板着脸问。

他眯了眯灰色的眼睛，看着我说：“啊？我？”

“没错，是你!”我严肃地说，“你是想吓唬我们吗?”

他摇了摇头：“没有。”

“刚才在灌木丛后面不是你在说话吗?”我又追问。

“我是刚走到这儿的。”男孩也毫不示弱。

我心想：一分钟之前还在约瑟夫·克鲁的书房里见过他，他怎么这么快就到这儿了?

“为什么要跟踪我们?”斯蒂芬妮质问道，随手把围巾围好。

男孩耸了耸肩。

“为什么要盯着我们?”我向斯蒂芬妮靠近了一步，也质问了他一句。

他又耸了耸肩，那双怪异的灰眼睛始终低垂着。“我看到你们偷偷摸摸地溜走，”他说，“我……我想，没准儿你们看到什么有意思的东西了。”

“我们迷路了，”我向斯蒂芬妮使了个眼色，“我们什么也没看到。”

“你叫什么?”斯蒂芬妮问。

“瑟斯。”他答道。

我们也把自己的名字告诉了他。

“你也住在瀑布镇吗?”斯蒂芬妮又问。

他摇摇头，眼皮还是没抬起来：“不是，我是来玩的。”

他为什么不抬头看我们呢？只是害羞吗？

“你肯定刚才没在灌木丛后面对我们说话吗？”我忍不住又问他。

他又摇摇头，说：“没有。也许是别人在跟你们开玩笑吧。”

“也许吧。”我说完，走到灌木丛跟前，抬腿踢了几脚。我也不知道自己想找什么。

什么也没有。

“你和斯蒂芬妮想自个儿去探险？”瑟斯问。

“嗯，有点儿吧。”我坦白地说，“我们对幽灵有些兴趣。”

我话音刚落，他便抬起头来，瞪大眼睛看了看斯蒂芬妮，又看了看我。

他的脸上没有一丝表情，没有一丝生气，一片茫然。

不过，现在我可以肯定，他真的很兴奋。

“你们想看真的幽灵吗？”他死死地盯着我们问道，“想吗？”

20 与瑟斯的约定

瑟斯直直地盯着我们，仿佛在向我们发起挑衅。“你们俩想见识真的幽灵吗?”

“想啊，当然想!”斯蒂芬妮也紧紧地盯着他。

“你什么意思，瑟斯?”我问，“你见过幽灵吗?”

他点点头，说：“见过，就在那儿。”说完，他扬了扬手，示意身后那幢巨大的石楼。

“啊?”我惊讶地叫道，“你在希尔城堡见过真正的幽灵？什么时候?”

“我和杜安去过好几百回了，”斯蒂芬妮说，“可从来都没见过什么幽灵啊。”

他窃笑道：“你们当然见不到啦。你们以为幽灵会在游客参观的时候出来吗？他们得等到城堡关门以后，等到所有游客都走了以后才会出来。”

“你是怎么知道的?”我感到很奇怪。

“有一天深夜,”瑟斯回答说,“我偷偷跑进去了。”

“什么?”我更是吃了一惊,“你是怎么进去的?”

“我找到了一扇后门,没上锁,估计所有人都已经把它给忘了,”瑟斯解释说,“城堡关门后,我就偷偷溜进去了,然后,我就……”

他的话戛然而止,眼睛紧盯着城堡那个方向。

我转过头去,只见前门徐徐地打开了。游客们边往外走,边扣着大衣。最后一次参观到此为止,游客正往各自的住处走去。

“快到这儿来!”瑟斯神秘兮兮地说。

我们跟他走到灌木丛后面,猫下腰去。游客们从我们身边走过,又说又笑地谈论着城堡和刚才听到的那些幽灵故事。

等他们下了山,我们才站起来。瑟斯用手捋了捋搭在脑门上的头发,可风一吹,头发又乱了。

“我是等夜深人静的时候才偷偷溜进去的,那时里面可黑了。”

“这么晚了,你爸妈还允许你往外跑啊?”我疑惑地问。

他的嘴角浮现出一丝怪异的笑意。“他们不知道,”他小声说完,笑容就消失了,“你们爸妈怎么会让你们出来?”

斯蒂芬妮笑了起来:“他们也不知道呗!”

“好啊!”瑟斯说。

“你真的看见幽灵了?”我问道。

他点点,又捋了捋头发。“我偷偷溜了进去,看到守夜人曼尼睡得很沉,呼噜打得山响。我绕到城堡的前面,刚来到楼梯底下——突然听到一声大笑。”

我紧张得咽了口唾沫:“一声大笑?”

“是从楼梯上头传来的。我退到墙根,看到了一个幽灵。那是一个很老很老的女人,身穿长裙,头戴黑帽,还蒙着厚厚的黑面纱。透过面纱,我能看到她的眼睛,因为它们鲜红鲜红的,就像火焰一样!”

“哇!”斯蒂芬妮叫道,“她干了什么?”

瑟斯又回头看了看城堡,前门已经关上,门上的提灯也已熄灭。整座城堡被浓重的夜幕层层笼罩。

“那个老幽灵从楼梯扶手上滑了下来,”他继续说道,“她仰着头,一路尖叫,那双火红的眼睛竟划出一道红光,活像彗星的尾巴。”

“你不害怕吗?”我问瑟斯,“你不想跑吗?”

“来不及了,”他说,“她从扶手上滑下来,正好直冲着我。眼睛就像两个火球似的,尖叫起来跟发疯的动物差不多。我紧贴着墙,一动也动不了。我以为她滑下来后会一把抓住我，没想到一眨眼间，她却不见了，在黑暗中消失得无影无踪。剩下的只有微弱的红光在黑暗里闪动，那是她眼睛发出的光。”

“哇，哇!”斯蒂芬妮不住地惊叹。

“太神奇了!”我也感叹道。

“我还想再溜进去看看，”瑟斯看着城堡，大声说，“我肯定，那里还有更多幽灵。我真的想再去看看。”

“我也是!”斯蒂芬妮迫不及待地喊道。

瑟斯冲她微微一笑：“这么说，你会跟我一块去？明晚怎么样？我不想一个人去，要是你也去，一定更有意思。”

冷风呼啸，乌云遮月。山顶上的古老城堡越发黑暗神秘。

“明晚你会跟我一块去，对吧?”瑟斯又问了一遍。

“是啊，太棒了!”斯蒂芬妮回答说，“我都快等不及了。你呢，杜安?”说着，她转过来问我。“你也会去的，对吧，杜安？对吧?”

21 如期赴约

我说："对。"

我说："我也迫不及待地想看看真正的幽灵。"

我说："我发抖是因为风太冷了，不是因为我害怕。"

我们说好明晚午夜在希尔城堡后面碰头。然后，瑟斯急匆匆地就走了。我和斯蒂芬妮也起程回家。

街上黑糊糊的，一个人也没有。大部分人家都已经关灯睡觉了，远处有一只狗在叫个不停。

我和斯蒂芬妮加快了脚步，顶风前行。我们也很少在外面待到这么晚的。

明天晚上，我们还会更晚。

"我不相信那家伙，"走到斯蒂芬妮家前院时，我对她说，"他太怪了。"

我满以为她会同意我的看法。可她却说："你只是有些忌妒吧，杜安。”

“啊？我？忌妒？”我简直不敢相信自己的耳朵，“我为什么要忌妒？”

“因为瑟斯够勇敢，因为他见过真正的幽灵，我们却没有。”

我摇了摇头，说：“你还真相信那个乱七八糟的故事啊？幽灵会从扶手上滑下来？我觉得是他瞎编的。”

“好吧，”斯蒂芬妮若有所思地说，“明晚就会见分晓了，对吧？”

第二天晚上很快就到了。

那天下午我们举行了一次数学考试。我感觉自己考得很差，因为当时满脑子里全是瑟斯、希尔城堡和幽灵。

晚饭后在客厅里，妈妈拦住我，她伸手捋了捋我的头发，仔仔细细地打量了我一番，问道：“你怎么看起来这么疲惫？都有黑眼圈了。”

“也许我是浣熊投胎的吧。”我回答说。每次她说我有黑眼圈，我都用这句话应付她。

“我觉得今晚你应该早点睡。”爸爸插了一句。他总说每个人都应该早早地上床睡觉。

于是，我九点半就回房间了，只不过没上床罢了。

我看了一会儿书，又听了一会儿随身听，一直等着爸妈上床睡着，时不时地抬头看表。

爸妈睡起觉来都很沉，使劲敲他们的卧室门都不会把他们吵醒。有一次飓风来临，他们照样睡得呼呼的。这是真事儿：有棵大树砸在了我们家的屋顶上，他们竟然都没醒！

斯蒂芬妮的爸妈也差不多。要不，我们俩怎么会轻而易举地从卧室窗口偷偷溜出去呢？要不，我们怎么能半夜三更装神弄鬼，四处游荡呢？

快到午夜了，我真希望今晚还和平常一样，只是到街上去转悠两圈。我希望我们是去特里·亚伯的窗前学狼嚎，然后再往本·福勒床上扔橡胶蜘蛛。

可斯蒂芬妮觉得这些都太无聊了。

我们要寻求刺激，探寻幽灵，而且是跟一个素不相识的怪男孩一起。

差十分十二点了。我穿上羽绒服，从卧室窗口溜了出来。又是一个冷风飕飕的夜晚，冰冷冰冷的雨滴打在我的脑门上，我连忙戴上了外衣上的防风帽。

斯蒂芬妮已经在她家停车道的尽头等着我了。她把褐色的长发扎成了一根马尾辫，上衣敞开着，里面穿着一件厚厚的滑雪衫，下身是一条牛仔裤。

她抬起头，怪腔怪调地叫了起来：“嗷——”

我连忙捂住她的嘴：“你想把整条街上的人都吵醒

啊?!”

她笑着往后退了两步。“我有点激动，你呢?”她又张开嘴，叫了一声。

冰冷的雨点敲打着地面，我们飞快地朝希尔城堡走去。狂风呼啸，枯枝败叶被吹得满地打转。大多数人家都已经关灯睡觉了。

走到希尔街拐角时，一辆汽车缓缓地从我们身边驶过。我和斯蒂芬妮连忙在灌木丛旁蹲下，要不，那司机肯定会感到很奇怪，这大半夜的，两个小孩干吗还在街上晃悠。

别说他了，就连我自己也感到很奇怪。

等到那车远去，我们才继续往前走。

我们开始爬山，朝那座古老的城堡进发，运动鞋踩在硬邦邦的土地上，发出嘎吱嘎吱的响声。希尔城堡高高地矗立在我们面前，就像一只巨大的怪兽，它一声不吭，正静静地等待着我们自投罗网，

最后一批游客已经离开，灯全灭了。这会儿，恐怕连奥托、埃德娜和其他导游都已经回家了。

“来吧，杜安，快!”刚到城堡底下，斯蒂芬妮便开始跑起来。“瑟斯可能已经在等我们了。”

“等等我!”我喊道。我们沿着一条狭窄的小土路绕到城堡的后面。

我眯起眼睛，四处寻找瑟斯，可连个影子都没见着。

后院里堆满了各种各样的东西。靠墙摆放着一排锈迹斑斑的垃圾筒，看上去就像是一个篱笆。高高的野草丛里，横卧着一架长木梯。木箱、木桶、纸箱堆得到处都是，一台手动割草机倚在墙角。

“这……这里要黑得多啊，”斯蒂芬妮有些结巴，“看到瑟斯了吗?”

“我什么也没看见，”我小声回答说，“也许他改变主意，不会来了。”

斯蒂芬妮刚想说点什么，可屋边突然传来的叫声把我们俩吓了一大跳。

我转过身，只见瑟斯跌跌撞撞地冲我们这边走来。

他披头散发，眼珠都快突出来了，双手捂着喉咙。

“幽灵!”他步履蹒跚地走过来，“那个幽灵……他……他抓住我了!”

话音刚落，瑟斯便一头栽倒在我们面前，一动也不动了。

22 瑟斯的承诺

“演得不错，瑟斯!”我不动声色地说。

“摔得好!”斯蒂芬妮也跟着说。

他慢慢地抬起头，看着我们说：“你们没上当?”

“不可能!”我回答。

斯蒂芬妮翻了一下白眼。“这是最小儿科的玩笑，”她对瑟斯说，“我和杜安都玩过好几百次了。”

瑟斯站起身，拍了拍黑毛衣上的灰尘。他皱起眉头，一副很沮丧的样子：“我本来想吓唬吓唬你们的。”

“你得演得再好些。”我对他说。

“我和杜安是这方面的高手，”斯蒂芬妮补充说，“这可是我们的爱好哦。”

瑟斯用双手理了理头发。“你俩可真够怪的。”他嘟囔道。

我擦去落在眉毛上的雨点，不耐烦地说：“能进去了吗?”

瑟斯带着我们，来到城堡另一端的一扇小门边。“你俩从家里溜出来时没遇到什么麻烦吧?”他小声问道。

“没，没有。”斯蒂芬妮回答道。

“我也是，”他说着，上前一步，拉开门闩。“今晚我又来参观城堡了，奥托带我看了几处新地方，咱们可以去那几个地方探探险。”

“太好了!”斯蒂芬妮兴奋地叫起来，“你确定我们肯定能看到真正的幽灵吗?”

瑟斯转过身，面对着她，脸上浮现出一丝诡异的笑容。

“我确定。”他很肯定地说。

23 溜进城堡

瑟斯用力一推，门吱呀一声开了。

我们赶快溜了进去。里面伸手不见五指，黑得根本看不见自己是在什么地方。

我往里走了几步——冷不防撞到了瑟斯身上。

“嘘——”他提醒道，“守夜人曼尼就住在前面那间屋里，他很可能已经睡着了，不过咱们最好还是别太往前了。”

“咱们现在在哪儿?”我小声问。

“后面的某一个房间里，”瑟斯回答道，“稍等一会儿，眼睛就会适应的。”

“能不能开个灯?”我问。

“有了光，幽灵就不出来了。”瑟斯说。

一进屋，我们便关上门。可我感觉背后还是有一阵又一阵的冷风袭来。

我不禁直打哆嗦。

“咔嗒，咔嗒……”突然听到这样的响声，我竟一时间喘不上气来。

我真的听到声响了吗?

我拽下防风帽，以便听得更清楚些。

什么声音也没有。

“我知道在哪儿能找到蜡烛，”瑟斯轻声说，“你俩在这儿等着，别动!”

“甭……甭担心!”我的舌头有些不听使唤了。在看见东西之前，我可哪儿也不想去!

我听到瑟斯轻轻的脚步声越来越远，他肯定是踮起脚尖，尽可能不出声了。随后，一点声音都没有了。

这时，我又感觉一股冷风直冲我后背吹过来。

“哎哟!”我又听到刚才那种咔嗒声，不禁失声叫了起来。

那声音很轻，就像是骨头的摩擦声。

又一阵冷风向我袭来。我想：没准这就是幽灵在喘气。一股寒气从后背直泻而下，整个身体抖个不停。

我又听到骨头摩擦的声音了。这回更响了，咔嗒，咔嗒，就在我耳旁。

黑暗中，我伸出双手，想抓住点什么，墙、桌子，什么都行。

可除了空气，我什么也没抓着。

我狠狠地咽了口唾沫。冷静点儿，杜安，我命令自己。等一会儿瑟斯就会拿来蜡烛了，到时候就会看到一切都很正常。

咔嗒，咔嗒，骨头摩擦的声音再一次响起，吓得我大气都不敢出。

“斯蒂芬妮——你听到了吗?”我悄声问道。

没人回答。

冷风直灌入我的脖子。

咔嗒，咔嗒，那声音又来了。

“斯蒂芬妮? 你没听到那声音吗? 斯蒂芬妮?”

没人回答。

“斯蒂芬妮? 斯蒂芬妮?”我叫道。

她不见了。

24 升降机里的秘密

这可真是太吓人了。

我的呼吸变得短暂而急促，心跳得比那刚才骨头摩擦的声音还要响，整个身体开始剧烈地颤抖。

“斯蒂芬妮？斯蒂芬妮？你在哪儿?”我有气无力地叫着。

正在这时，只见两只黄色的眼睛正向我靠近。那两只眼睛闪闪发光，静静地飘浮在空中，充满了邪恶。它们离我越来越近，越来越近。

我惊呆了。

一动也动不了。除了那两只发光的黄眼睛外，我什么也看不见了。

“哎哟!”黄眼睛步步紧逼，我发出了一声无助的呻吟。这下，我看得更清楚了——原来是两点烛光。

那两点烛光并排着向我这边移动。

在昏黄的烛光中，我看见了瑟斯和斯蒂芬妮的脸庞，他们俩一人举着一根蜡烛向我走来。

“斯蒂芬妮——你上哪儿去了?”我小声地责怪她说，“我……我……以为……”

“我和瑟斯一起去了。”她不动声色地回答道。

昏黄的烛光照到我的脸上，我想斯蒂芬妮肯定能看到我神色慌张的样子。“不好意思了，杜安，”她轻声说，“我是说，刚才我跟瑟斯走了，我以为你听到我走了呢。”

“有……有咔嗒咔嗒的响声，”我结结巴巴地说，“我觉得像是骨头发出的声音。而且，我总感觉有股冷风，我还听见……”

瑟斯递给我一根蜡烛。“把它点着吧，”他告诉我说，“咱们看看，到底是什么声音。”

我接过蜡烛，凑到他那里去点，可由于手抖动得太厉害，试了五次才好不容易点着。

借着跳动的黄色烛光，我四处张望。

“哦——咱们这是在厨房里啊。”斯蒂芬妮轻声说。

又一阵冷风吹向我。“你们感觉到了吗?”我赶紧问他们。

瑟斯举着蜡烛，凑近厨房的窗户。“杜安，看——那块窗玻璃都没了，冷风就是从这个洞里吹进屋里的。”

“嗯，没错。”

冷风又一次吹来。然后，咔嗒咔嗒的声音再次响起。

“你们听到了吗?”我问。

斯蒂芬妮咯咯地笑了起来，用手指着厨房的墙壁。借着微弱的烛光，我看见墙上挂着各式各样的锅。“这声音是从那儿发出来的。”斯蒂芬妮解释说。

“哈哈，”我勉强挤出了一丝笑容，“我知道，只不过想吓唬吓唬你们。”我违心地又说了一句，“知道吧，就是逗逗你们。”

我感觉自己简直就是个白痴。不过，干吗要承认自己被挂在墙上的几口锅吓得魂不附体了?

“好了，别再开玩笑了，”斯蒂芬妮一本正经地说道，她转向瑟斯，“我们想看看真正的幽灵!”

“跟我来，我带你们去奥托带我去过的地方。”瑟斯小声说。

他举着蜡烛，向火炉旁的一堵墙走去。然后，他在一个橱柜前放低了蜡烛，打开橱门，把蜡烛靠近了些，好让我们看得更清楚。

“为什么要带我们看橱柜?”我不解地问，“这有什么可怕的?”

“这可不是个橱柜，”瑟斯说，“这是一个送饭菜的小升降机。你们看!”他把手伸进去，从橱架旁拽着一根绳子，橱架便开始上升了。

他升起橱架后，又把它放了下来："看见了吧？这个升降机就像是一个小小的电梯，是用来给楼上主人卧室里送饭菜的。"

"你是说送夜宵吧？"我打趣道。

瑟斯点点头，说："厨子把食物放在架子上，拉动绳子，食物就会送到楼上去。"

"哇，好可怕呀！"我故意说。

"就是嘛。干吗给我们看这玩意儿？"斯蒂芬妮问。

瑟斯把蜡烛移到面前："奥托告诉我，这升降机里有幽灵出没。一百二十年前，这里突然就有些不对劲了。"

我和斯蒂芬妮靠近了些。我放低手中的蜡烛，仔细地看了看那升降机。"发生什么事了？"我问道。

"嗯，"瑟斯神秘兮兮地讲了起来，"厨子把饭菜做好，放在这上面送到楼上。可到了楼上卧室，所有的食物都不翼而飞了。"

斯蒂芬妮眯起眼看着瑟斯，说："食物是在一楼和二楼之间消失的吗？"

瑟斯严肃地点点头。在昏黄的烛光里，他那双灰色的眼睛闪闪发光。"这样的事发生了好几回。橱架到达二层时，上面都是空的，所有的食物都不见了。"

"哇……"我喃喃自语道。

“厨子吓坏了，”瑟斯继续说，“他害怕这升降机里有幽灵。他决定不再用它，并让手下人都不许再用它来运送食物。”

“这故事就到这儿结束了？”我问道。

瑟斯摇摇头，说：“后来，恐怖的事情发生了。”

斯蒂芬妮的嘴张得大大的：“什么？什么事？”

“几个孩子来这城堡做客。其中一个男孩名叫杰瑞米，他很好动，也很喜欢出风头。看到这架升降机后，他就想，要是坐着它上二楼肯定很有趣。”

“哦，哇——”斯蒂芬妮不住地感叹。

我不禁打了个寒战，接下去发生的事情我差不多都能猜到了。

“于是，杰瑞米钻进橱架，另一个男孩就开始拉那根绳子。突然，绳子被卡住了，既拉不上去，也放不下来。杰瑞米被卡在两层楼之间了。”

“其他几个孩子大声地喊：‘你没事吧？’可杰瑞米没有回答。大伙儿都很担心。他们拼命地拉啊拉，可就是拉不动那绳子。”

“突然间，橱架砰的一声从上面摔了下来。”

“杰瑞米在上面吗？”我急切地问。

瑟斯摇摇头，说：“橱架上放着三个带盖的碗。孩子们打开第一个碗盖——里面装的是杰瑞米的心脏，那心

还在跳呢!”

“他们打开第二个碗——里面是杰瑞米的眼睛，圆滚滚的，惊恐万分。打开第三个碗——里面是杰瑞米的牙齿，还在咯咯地直打战呢。”

在昏暗的烛光下，我们三人默默地站在那里，眼睛死死地盯着升降机的橱架。

我浑身直打哆嗦。各式各样的锅在墙上咔嗒咔嗒地响个不停。这会儿，我已经不害怕这声音了。我抬起头，看了看瑟斯，问道：“你觉得这故事是真的吗?”

斯蒂芬妮哈哈大笑起来，听得出来，她是因为太紧张了才笑的。“不可能是真的。”她说。

瑟斯还是紧绷着脸。“你相不相信奥托讲的那些故事?”他不动声色地问我。

“嗯，信，也不信，有些我信。”我也说不好了。

“奥托发誓说，那些故事都是真的，”瑟斯说，“当然，也许他只是在干他自己分内的工作。把这城堡说得越可怕越好，这就是他的工作。”

“奥托是个讲故事高手，”斯蒂芬妮嘟囔道，“不过，别再讲故事了，我想看看真正的幽灵。”

“跟我来。”瑟斯说完便转过身去，手中的烛光随着他身体的转动也顿时变暗了。

他带我们往回走，穿过厨房，来到后面一个狭长的房间。“这里是老管家的储藏室，”他说，“城堡里所有食物都放在这里。”

我和斯蒂芬妮走到他前面，举起蜡烛，想好好看一看这个房间。我刚转过身，只见瑟斯关上了储藏室的门。

接着，我看见他还上了锁。

“喂——你干吗呢？”我大叫起来。

“干吗要把我们锁在这里？”斯蒂芬妮问道。

25 我叫安德鲁

蜡烛从我手里掉了下去，在地板上弹了两下，熄灭了，接着又滚到一个架子底下去了。

我回头一看，斯蒂芬妮正在冲瑟斯发火呢。“瑟斯——你干吗呢?”她气呼呼地斥责道，“打开门，这样一点儿也不好玩!”

我看了看这个狭长的屋子，三面墙边都摆着直达天花板的架子。屋里没有一扇窗户，也没有其他门可以逃跑。

斯蒂芬妮尖叫一声，想要抓住门把手。可瑟斯动作更快，一个箭步冲上去挡住了她的去路。

“喂——”我叫道，心怦怦直跳。我冲到斯蒂芬妮的身边，质问道：“怎么回事，瑟斯?”

由于兴奋，他那银灰色的眼珠在烛光里闪闪发光。他一言不发，只知道瞪着我们。前一天晚上他就是用这种眼

神看我们的。

我和斯蒂芬妮往后退了一步，紧紧地抱在了一起。

“对不起，朋友们。我对你们使了点小花招。”他终于说出来了。

“你说什么?”斯蒂芬妮气得直嚷嚷。

“什么花招?”我问道。

他用另一只手向后理了理长长的金发，闪烁的光影在他脸上晃动。“我不叫瑟斯。”他轻轻地说，声音小得几乎都听不见。

“可……可……”我结结巴巴地说。

“我叫安德鲁。”他说。

我和斯蒂芬妮都大吃一惊，异口同声地尖叫了一声。

“可安德鲁是幽灵的名字，”斯蒂芬妮将信将疑地说，“就是那个扔了脑袋的幽灵。”

“我就是个幽灵，”他细声细气地说完，干巴巴地笑了两声，这笑声听起来更像是咳嗽声，“我向你们保证过，要让你们见见真正的幽灵。嗯……我就是。”

他吹灭蜡烛，整个人仿佛随着烛光消失了一般。

“但是，瑟斯……”斯蒂芬妮刚叫了一声。

“是安德鲁，”他更正道，“我叫安德鲁。一百多年来，我一直叫安德鲁。”

“放我们出去吧，”我恳求道，“我们不会告诉任何人我们见过你的，我们不会……”

“我不能让你们走。”他打断我，轻声说。

我突然想起了老船长幽灵的故事。安德鲁不小心闯入船长的房间，看到老幽灵时，老船长对他说了同样一句话——“你看见我了，我就不能让你走了”。

“你……你的脑袋丢了！”我脱口而出。

“所以，你不可能是安德鲁！”斯蒂芬妮跟着叫道，“你有脑袋！”

借着斯蒂芬妮手中的烛光，我看到安德鲁一脸的不屑。“不，”他轻声说道，“不，不，不。我的脑袋不是我自己的。这是我借的。”

他抬起双手，扶着脸颊。“好吧，我让你们看看吧。”他说。

然后，他双手用力抓紧脸颊，竟把脑袋从黑色套头衫上提了起来。

26 我喜欢你的头

“不！住手！”斯蒂芬妮尖叫道。

我闭上眼睛，说真的，我可不想眼睁睁地看着他把自己的脑袋揪下来。

我睁开眼睛时，安德鲁已经把手放下来了。

我再次环视四周，心里盘算着怎样才能从这狭长的储藏室里逃出去。要知道，这个幽灵已经把唯一的出口挡住了。

“为什么对我们要花招？为什么要带我们来这儿？为什么要骗我们？”斯蒂芬妮连珠炮似的向安德鲁发问。

安德鲁叹了口气。“我告诉过你们，这脑袋是借来的，”他伸出一只手，向后理了理头发，然后又摸了摸脸颊，像是在爱抚一只小宠物似的，“借来的东西总得要还的。”

我和斯蒂芬妮一声不吭地盯着他，等着他继续往下说，给我们一个解释。

“昨晚，我在参观的人群里见到了你们俩，”他说完，目光便落到了我的身上，“其他人都看不到我，但我让你看见了我。”

“为什么？”我声音都有些发颤了。

“因为你的头，”他回答说，“我喜欢你的头。”

“啊？”我情不自禁地惊叫起来。

他又抓起头发。“这个脑袋我必须得还了，杜安，”他冷冷地说，“所以，现在我得取你的脑袋了。”

27 给我你的头

这时，我的喉咙里竟发出了咯咯咯的笑声。

人在惊恐万状的时候为什么会突然发笑呢？我想，要是不笑出声来，我就会尖叫不止，或者彻底崩溃了。

被一个想要我脑袋的百岁高龄的幽灵困在一间黑暗狭小的屋子里，我感觉自己既想笑又想叫，立马就要彻底崩溃了！

借着微弱的烛光，我直直地看着安德鲁："你是说着玩的，对吧？"

他摇摇头，眯起灰眼睛，一副冷酷无情的样子。"我需要你的脑袋，杜安。"他说完，耸了耸肩，像是在道歉似的，"放心，我动作会很快，一点儿也不疼。"

"可……可是，我也需要它！"我急忙说。

"我只是借用一下，"安德鲁说着向我们走近了一步，

“等找回我自己的头，我就把它还给你，我保证！”

“唉，那还不一样吗！”我沮丧地说。

他又向我们靠近了一步。

我和斯蒂芬妮不由得后退了一步。

他前进一步，我们后退一步。

后面的空间不大了。我们就快要挨到靠墙放的储物架上了。

突然，斯蒂芬妮说：“安德鲁，我们能找到你的脑袋！”听得出来，她的声音有些发抖。

我转头看了看她，我可从来没见过她害怕。这回，连斯蒂芬妮都害怕了，我就更是没戏了。

“肯定能找到！”我的声音都有些嘶哑了，“我们能找到你自己的头。今晚我们一刻不停地找，这城堡我们已经太熟悉了，只要给我们一个机会，我们一定能找到的！”

他瞪着我们，一言不发。

我真想给他下跪，恳求他给我们一个机会。

可我又害怕万一我跪下来，他会一把揪掉我的脑袋。

“我们肯定能找到的，安德鲁，我有把握。”斯蒂芬妮还是不放弃。

他摇摇那个借来的脑袋。“这是不可能的，”他悲伤地嘀咕道，“想想吧，我已经在这楼里找了多久？一百多年啊！我已经找遍了每一条走廊，每一个房间，每一个壁橱。”

说完，他又往前走了一步，眼睛死死地盯着我的脑袋。我知道，他正在细细地打量，盘算着这个脑袋要是安在自己的肩膀上会是个什么样子。

“这么多年了，我都没找到自己的头，”安德鲁又开始嘟囔，“你们凭什么认为今晚就能找到呢?”

“嗯……啊……”斯蒂芬妮转过脸来看了看我。

“嗯……也许我们的运气更好!”我大声说。

真是太烂了。怎么会说出这么烂的话呢?

“对不起，”安德鲁咕哝道，“我需要你的脑袋，杜安，咱们别浪费时间了。”

“给我们一个机会吧!”我叫道。

他又逼近了一步，这回，他开始看我的头发了，没准儿他在想要不要留长发呢。

“安德鲁——求求你!”我央求道。

没用的。他的目光已经呆滞，双手向前伸着，又往前走了一步。

我和斯蒂芬妮被迫又后退了一步。

“给我你的头，杜安。”幽灵喃喃地说。

我的后脑勺撞上了墙边的储物架。

“给我你的头，杜安。”

我和斯蒂芬妮紧紧地抱成一团，后背紧靠着储物架。

“给我你的头，杜安。”

幽灵越来越近，两只手伸得长长的。

我们向储物架贴得更紧了。我的胳膊肘撞上一个硬邦邦的东西，接着一些东西从架子上重重地摔到了地上。

“给我你的头，杜安。”

他双手时而握拳，时而松开。只要再走两步，他就能抓到我了。

“给我你的头，杜安。”

我拼命往储物架上挤去。

突然，嘎吱一声，储物架移向两旁。

我打了一个趔趄，后退了一步，没想到整面墙都在向两旁移动！

“这……这是怎么回事？”我结结巴巴地说。

幽灵扑向我的脑袋，叫道：“抓到你了！”

28 暗道

幽灵伸着双手扑向我。

我弯腰一躲，墙移开的那一瞬间我又向后退了一步。

墙慢慢地移动，发出很响的嘎吱声。

斯蒂芬妮摔倒在地上。

我飞快地拉起她，趁这当儿，安德鲁又一次向我的脑袋扑来。

“有个通道！”我的声音响得盖过了墙移动的嘎吱声。

墙移开后，一个黑糊糊的洞口展现在我们面前，大小正好够一个人钻进去。

我把斯蒂芬妮拉到洞口处，然后钻了进去。

里面是一条又长又低的通道，看上去像是隐藏在那面墙壁后的秘密地道。

我经常听说，老房子里都建有暗道和密室。可我万万没想到，如今亲眼所见我会如此的开心！

我和斯蒂芬妮开始往前跑，脚步声在这通道里重重地回响着。

两旁的水泥墙因为年代久远都已斑驳开裂了。由于通道太低，我们只得弓着腰往前跑！

斯蒂芬妮放慢脚步，回头看了一眼："他在追我们吗？"

"别停下！"我叫道，"这个通道一定可以通到外面！城堡的外面！一定可以！"

"我看不出来会通向哪儿！"她上气不接下气地回答说。

低矮的通道笔直向前延伸，前面只有黑糊糊的一片。

这会不会没有尽头啊？

只要有尽头，我就会一直跑。在安全逃出城堡之前，我决不停下来。

一旦我跑出去了，我决心再也不回希尔城堡。而且，以后我也要离幽灵远远的，好让我的脑袋安安稳稳地待在我的肩膀上。

这个决心很大。

可决心往往是无法实现的。

"哎哟！"我和斯蒂芬妮异口同声地叫了起来，因为差一点儿就迎头撞上了一堵水泥墙。

我们已经走到尽头，再也无法继续走下去了。

“这……这，哪儿也去不了！”我喘着粗气，拳头捶打着水泥墙，“这是什么人哪，干吗要造这么一条哪儿也去不了的密道？”

“用力推推，”斯蒂芬妮叫道，“咱们一块来用劲，没准儿这墙也会移动呢。”

我们侧过身，肩膀顶住墙，使出全身力气一起推。我大口喘着气，把吃奶的力气都用上了。

正在这时，我听到通道里响起了越来越近的脚步声。

安德鲁！

“快推啊！”斯蒂芬妮急了。

我们用整个身体往墙上撞去。

“快开啊！快——啊！”我对着墙叫道。

我回头看了一眼，只见安德鲁正一步一步地向我们靠近。

“我们被困住了。”斯蒂芬妮无助地呻吟道。她叹了口气，瘫倒在墙脚。

安德鲁加快脚步，越来越近了。

“杜安——给我你的头！”他的叫声在整个通道里回响。

“咱们完了。”斯蒂芬妮喃喃自语。

“未必，”我欣喜地指着黑暗的角落说，“看！梯子！”

“啊?”斯蒂芬妮腾地跳了起来。她看了一眼，那是架金属做的梯子，上面落满了灰，梯子笔直地靠在墙上，直通天花板上一个小小的方形出口。

那是什么地方?

“给我你的头!”幽灵在大叫。

我抓住梯子，抬起一只脚往上一蹬，伸长脖子向上看。

一片漆黑，什么也看不见。

“杜安……”斯蒂芬妮小声对我说，“咱们根本不知道这是通到什么地方去的!”

“没关系，”我一边回答，一边往上爬，“咱们已经没有选择了，不是吗?”

29 密室

“你上哪儿去，杜安？给我你的头！”

这会儿，我哪里顾得上那幽灵的叫喊，一门心思只顾往上爬，斯蒂芬妮不停地从下面撞到我身上。

梯子上积满了厚厚的灰尘，鞋子不停地打滑，我只好紧紧地抓住梯子的两边。

“杜安——你逃不出去！”安德鲁在下面大喊。

往上，快往上爬！我和斯蒂芬妮大口地喘着气，拼命往上爬。

往上爬。

突然，梯子开始倾斜。

“不——”我尖叫一声，眼看着梯子向前倒下去。

咔嚓！一声巨响盖过了我的尖叫声。

过了好半天，我才反应过来，是墙裂开发出的声音。

刚才的那堵墙这会儿已经变得粉碎了。

我们正在往下落。

我听到斯蒂芬妮在尖叫。

我双手紧紧抓住梯子—— 一分一秒也不敢放松。

可是，梯子也开始倒下去了，倒向那面支离破碎的破墙。

“哎哟!”我重重地摔在地上，还向上反弹了一两次。

这时，我双手已经松开，身体也离开了梯子，身体在塌墙的土堆和水泥块里打了好几个滚。

斯蒂芬妮双膝着地，不停地摇晃脑袋，感觉有些晕乎。

我们身边堆满了大块的墙体，斯蒂芬妮的头发上也全是灰。

我用手挡住眼睛，一直等到不再有水泥块往下落。

等睁开眼时，安德鲁已经站在我面前了。他紧握拳头，张开大嘴，眼睛一直盯着……盯着我的身后。

我挣扎着站起身来，转过头去，想看看他到底在看什么。

“密室!”斯蒂芬妮走到我身边说，“墙后有一个密室!”

我跌跌撞撞地跨过那些水泥块，向密室靠近了几步。

这回我知道了，刚才安德鲁正在盯着什么看。

一颗头！

密室的地板上，有一颗男孩的头！

“难以置信！”斯蒂芬妮感叹道，“我们找到了！真的找到了！”

我使劲咽了口唾沫，小心翼翼地往前迈了一步。

在微弱的光线中，只见那个脑袋面色苍白，微微闪着白光。

我可以清楚地分辨出来，那是个男孩的头。但一头长长的鬈发已经变白，一双绿色的眼睛瞪得圆圆的，仿佛镶嵌在苍白脸庞上的两颗闪闪发光的绿宝石。

“是幽灵的脑袋。”我喃喃地说。

我转过身，对安德鲁说：“你的头……我们给你找到了。”

我还以为他会笑逐颜开。我还以为他会高兴地大叫起来，要不就是兴奋地跳起来。

一百多年了，他一直都在等这个开心的时刻，这下总算找到了。

可我万万没想到，安德鲁惊恐不已，脸都变了形。

他甚至连看都不看一眼那个丢失了那么久的脑袋。他只顾盯着天花板，而且全身开始发抖，不知不觉地惊叫起来。

“安德鲁——你怎么了？”我问道。

可是，我觉得他根本没听见我在说什么。

他盯着天花板，哆嗦个不停，双手握紧拳头。然后，他慢慢地举起一只手，向上指着。“不——”他呻吟道，“哦——不——”

我连忙转过身，到底是什么把他吓成这样?

刚转过身，我就看到一个人影从天花板上飘下来。

开始时，我以为是一层薄薄的纱帘从上面落下来。

但是，他轻轻地、慢慢地落到地上，我看得清清楚楚，他既有手臂，也有腿脚。

而且，他还是透明的!

身边的空气顿时变得冷冰冰的。

“他……他是幽灵!”斯蒂芬妮大叫道，紧紧地抓住我的手臂。

30 无头幽灵

幽灵悄无声息地落在了密室的地上，举起像鸟的翅膀一样的手臂。

他举起手臂，笔直地站起来，我和斯蒂芬妮不由得倒吸了一口冷气。

他又瘦又小，穿着一条非常宽松，极为过时的裤子和一件长袖高领衬衣。

高领。

很高的高领子。

而且，没有头。

这个幽灵没有头！

我感觉一股冷风吹来，只见他弯下腰去，颤颤悠悠的样子活像一缕薄纱。他弯下腰，捡起了地上的头。

他把那颗头举到硬邦邦的高领上面。

轻轻地把头安好。

头一碰到他那薄纱般的脖子，绿眼睛便开始闪闪发光。

脸颊开始抽动，花白的眉毛挑起来又落下去。

接着，嘴也动起来了。

幽灵转向我们——我和斯蒂芬妮，嘴唇无声地动了动，像是在说“谢谢你们”。

“谢谢你们。”

然后，幽灵举起双臂，绿眼睛仍旧看着我俩，升到了空中。他真是比空气还轻呢，而且没有发出一点声响。

我看得目瞪口呆，心怦怦直跳，一直看着幽灵消失在黑暗中。

我和斯蒂芬妮几乎同时转向安德鲁，这下总算是亲眼见识到了无头幽灵——安德鲁，这个一百多年前的男孩，我们亲眼看到了他找回了自己的头。

可是，那个自称安德鲁的男孩还站在那儿。他站在我们身后，仍在发抖，瞪大双眼看着密室，喉咙里不停地发出咕噜噜的吞咽声。

我眯起眼睛看着他。“如果你不是安德鲁，”我试探着问道，“如果你不是无头幽灵——那么，你是谁？”

31 你是谁?

斯蒂芬妮也转向那个男孩。“是啊，你是谁?”她气呼呼地发问。

“如果你不是无头幽灵，为什么还要追着我们不放?”我也不客气地问道。

“嗯，我……嗯……”男孩举起双臂，做投降状。然后，他开始往后退。

他刚走了三四步，我们听到通道远处又传来了脚步声。

我看了一眼斯蒂芬妮。又来了一个幽灵?

“那边是什么人?”一个低沉的声音响起。

我看见手电的光在通道的地上来回扫射。

“那边是什么人?”那个低沉的声音重复道。

我听出来了，是奥托!

“嗯……在这里。”男孩轻声回答道。

“瑟斯——是你吗?”手电光更近了些，奥托出现了，他正眯着眼看我们呢，“这是怎么回事？你们在这里干什么？这个区域是很危险的，都快要散架了。”

“嗯……我们正在探险，”瑟斯说，“我们迷路了，真的不是我们的错。”

奥托严厉地看着瑟斯。突然，他借着手电的光，发现了我和斯蒂芬妮，不禁大吃一惊：“是你们俩！你们是怎么进来的？怎么会到这儿来的?”

“他……嗯……是他带我们来的。”我指着瑟斯说。

奥托转过身去对着瑟斯，很不高兴地摇了摇头：“又耍花招？你又吓唬这些小孩?”

“不是，奥托叔叔。”瑟斯说话时连眼皮都不敢抬。

奥托叔叔？这么说，瑟斯是奥托的侄子！

难怪呢，他对希尔城堡这么了解。

“说实话，瑟斯，”奥托不依不饶地追问，“是不是又假装幽灵了？那个把戏还没玩够？吓唬的孩子还不够多吗?”

瑟斯只知道默默地站着。

奥托摸了摸他那光秃秃的脑袋，无奈地叹了口气，对瑟斯说：“我们是在这里做生意的，你想把我的顾客全吓跑吗？你想把附近的居民搅得都不安生吗?”

瑟斯低下头，还是没回答。

看得出来，这回他可是闯大祸了。于是，我决意要插上一句。“没事的，奥托，”我说，“他没吓唬我们。”

“是啊，”斯蒂芬妮随声附和道，“我们才不信呢，他会是个幽灵，对吧，杜安？”

“就是嘛，”我回答说，“他根本骗不了我们的。”

“尤其是现在，我们已经见过真正的幽灵了。”斯蒂芬妮又说。

奥托转向她，在手电光里细细地打量着她：“见过什么？”

“真正的幽灵啊！”斯蒂芬妮兴奋地说。

“我们见到了真正的幽灵，奥托叔叔！”瑟斯大叫起来，“真是太可怕了！”

奥托眼珠子滴溜一转，说：“别开玩笑了，瑟斯。太晚了，你就是想逃脱处罚吧。”

“不，是真的！”我坚持说。

“真的！”瑟斯和斯蒂芬妮齐声喊道。

“我们看到了无头幽灵，奥托叔叔。请你相信我们！”瑟斯恳求道。

“当然，当然，”奥托咕哝着，转过身去，用手电示意我们说，“来吧，大伙儿都出去吧！”

32 又见幽灵

在经历了希尔城堡那个惊魂之夜以后，我和斯蒂芬妮再也不半夜三更上街吓唬人了。

因为这种游戏实在是太无聊了，特别是自从我们见过真正的幽灵之后。

晚上，我们再也不偷偷溜出家门了，也不再戴着可怕的面具到别人家窗口吓唬小孩了，更不再躲藏在灌木丛后学狼嚎了。

我们再也不做那些吓唬人的事了，甚至对幽灵都绝口不谈。

我和斯蒂芬妮都找到了其他感兴趣的事。我参加了校篮球队，还当上了首发前锋。

斯蒂芬妮参加了戏剧艺术团。今年春天，她将出演《绿野仙踪》里的桃乐丝。唉，我也说不准，不是桃乐丝

就是曼奇金吧。

我们度过了一个非常愉快的冬天，因为这个冬天下了好多的雪，还发生了许多有趣，但一点儿也不可怕的事。

后来，有一天，我们参加完一个生日聚会后一起回家。那是这个春天第一个暖洋洋的夜晚。一路上，我们看见有些人家院子里的郁金香已经含苞待放。空气里弥漫着清新而香甜的气味。

走到希尔城堡前，我不由得停下了脚步，仰望着这座古老的大房子。斯蒂芬妮走到我身边，像是看穿了我的心思："你想进去，对吧，杜安?"

我点点头。"进去参观一次，自从上次……咱们就一直没进去过……"我的声音越来越低。

"嘿，为什么不呢?!"斯蒂芬妮开始有些兴奋了。

我们爬上陡坡，一路上，长长的野草在我的裤腿边蹭来蹭去。面前那座庞大的古堡跟从前一样黑暗，一样诡异。

我和斯蒂芬妮刚走到门前的台阶，门吱嘎一声开了，还跟从前一模一样。

我们走进狭小的入口通道，不一会儿，奥托就一蹦一跳地走过来了。他还是老样子，身穿黑色制服，圆滚滚、光秃秃的脑袋，和蔼可亲的笑容。

“哟，是你们俩啊！”他高兴地叫道，“欢迎你们回来！”接着，他又冲着前厅大喊道：“埃德娜，快看啊，是谁来了！”

埃德娜步履蹒跚地走出来。“哦，天哪！”她大叫着，一只手捂着她那苍白的布满皱纹的脸，“我们还在想呢，不知以后能不能再见到你们了。”

我瞥了一眼前厅，那里一个游客都没有。

“能带我们参观一下吗？”我问奥托。

他笑起来，露出了两排牙齿：“当然，稍等一会儿，我去拿盏灯。”

奥托带我们把希尔城堡里所有的景点都参观了一遍。

再次走进城堡的感觉可真好。不过，这里对我和斯蒂芬妮来说，已经没有什么秘密可言了。

参观结束后，我们谢了奥托并向他道了晚安。

我们正走在半山腰，一辆警车在我们面前停了下来。一个身穿制服的警官从车里探出头来。“你们两个小孩到那儿去做什么？”他问。

我和斯蒂芬妮走到警车跟前，两个警官用狐疑的眼光看着我们。

“我们刚刚参观完。”我指着希尔城堡解释说。

“参观？参观什么？”警官态度生硬地问道。

“你知道的，就是那座有幽灵出没的城堡啊。”斯蒂芬妮不耐烦地说。

那位警官又努力伸长了脖子，他长着一双蓝眼睛，脸上还长满雀斑。“你们到底去那儿做什么了？”他好声好气地问。

“已经告诉过你了，”我不客气地说，“就是参观嘛，仅此而已。”

这时，那位开车的警官咯咯地笑了起来。“说不准带他们参观的是个幽灵呢。”他对他的搭档说。

“参观已经取消了，”那个雀斑警官皱着眉头说，“都好几个月了，根本就不让参观了。”

我和斯蒂芬妮惊讶地尖叫起来。

“城堡是空的，”警官说，“关门了，整个冬天那儿都没有人。三个月前，希尔城堡就已经停业了。”

“啊？”我和斯蒂芬妮吃惊地看了一眼对方，然后转过头，傻傻地看着城堡。

灰色的角楼矗立在黑暗的天际，四周黑压压的，什么也没有。

突然，我看见前窗闪过一丝微弱的光芒，是提灯的光，昏黄而暗淡，就像一缕轻烟。

在这昏暗的光线中，我看见了奥托和埃德娜。他们在窗前飘荡，我分明看见，他们的身体是透明的，就像是用薄纱做成的。

他们也是幽灵！看着那微弱如轻烟的身影，我终于明白了。

我眨了眨眼，那缕光已渐渐隐去。

灵 偶 Ⅲ

1 木偶博物馆

我家阁楼上的楼梯又窄又陡。第五级台阶还有些松动，人一站上去就能感觉到摇摇晃晃的。其他台阶也都已经吱嘎作响。

我家整幢房子都会发出吱吱嘎嘎的响声，这座楼又大又旧，看上去都快要散架了似的，可我爸妈实在是没钱来修房子。

“特丽娜——快点儿!”丹尼，也就是我弟弟轻声叫道，他的声音在狭窄的楼梯间里回响。丹尼今年十岁，一天到晚总是急匆匆的。

他个子小，还瘦得皮包骨头，活像只小老鼠。他留着一头棕色短发，黑豆眼，尖下巴，不管什么时候都是急匆匆的，就像一只到处寻找藏身之地的小老鼠。

有时候，我就叫他耗子。你知道，这就像是个外号。

弟弟很讨厌这个外号，所以只有在他惹我生气的时候，我才会这样叫他。

我们俩从外表上看起来一点儿也不像姐弟俩。我个儿高，红发碧眼，长得还有点儿胖。可妈妈说，这用不着担心，等到明年八月，也就是我十三岁的时候，没准儿我就会苗条起来。

不管怎样，谁也不可能叫我耗子！原因之一就是，我比弟弟要勇敢得多。

上我家阁楼可是件需要胆量的事。我之所以这样说，并不是因为楼梯吱嘎作响，或者风吹得阁楼上的窗玻璃哐哐直响，或者上面光线昏暗，影影绰绰，也不是因为低矮的天花板上爬满了裂缝。

说它需要胆量，是因为那些眼睛。

那里有十几双眼睛在黑暗中盯着你。

那些眼睛从来都不眨巴，它们只会阴森、沉闷地盯着你。

丹尼在我前面上了阁楼。我听见他在吱嘎作响的楼梯上走了几步后，又停了下来。

我知道他为什么要停下来。他正在瞪着那些眼睛，那些龇牙咧嘴狞笑着的脸。

我轻手轻脚地走到他背后，凑到他耳边，大叫一声：“嘭！”

他一动也没动，一点儿也没吓着。

“特丽娜，你就像湿海绵一样，一点劲儿都没有。”说着，一把把我推开。

“我倒是觉得，湿海绵挺有意思的。”我回答说。没错，我就是喜欢去招惹他。

“拜托你饶了我吧。”他咕哝道。

“好吧。”于是，我抓住他的胳膊，假装要把它绕上两圈。

我知道，这样做是挺傻的，可我和弟弟就喜欢这样闹着玩。

爸爸说，我们姐弟俩都没有遗传他的幽默细胞，可我总是不以为然。

现在，爸爸是一家照相机专卖店的老板，可他以前当过口技演员，还和木偶一起表演过喜剧。

那出喜剧名叫《丹尼·欧戴尔与威尔伯》。告诉你吧，威尔伯就是个木偶。

丹尼·欧戴尔就是我爸。我弟弟的大名其实是叫小丹尼。可他不喜欢大伙儿加上“小”这个字，所以也就没人那样叫他了。

但我例外。我想把他气疯的时候，就会叫他小丹尼。

“有人忘记关灯了。”弟弟指着吊灯说。这是阁楼上唯一的灯。

我家阁楼是一个大房间，两边都有窗户，可玻璃上都蒙着厚厚的灰尘，透不进太多光线来。

我和弟弟横穿房间时，看见那些木偶都在盯着我俩。他们的眼睛很大，却没有一点表情，大多数木头做的脸都是一个样——龇牙咧嘴地笑。有的张着大嘴，有的歪着脖子低着头，我们都看不见他们的脸。

爸爸的第一个木偶威尔伯摆放在一张旧的扶手椅上。他的两只手臂都搁在扶手上，头斜靠在椅背上。

丹尼笑道："威尔伯看起来多像是爸爸在打盹啊！"

我也笑了起来。威尔伯棕色短发，黑边眼镜，就连龇牙傻笑的样子都跟爸爸很像！

这个旧木偶的黑黄方格运动夹克已经变得破破烂烂了。不过，他的脸是刚刚油漆过的，脚上的黑皮鞋也锃亮锃亮的。

虽然一只手的拇指被切掉了一块，但对一个这么旧的木偶来说，威尔伯看上去已经很棒了。

爸爸的所有木偶都保存得很好。他管阁楼叫做木偶博物馆，这里有他精心收集的十二个口技木偶。

爸爸的业余时间都用来修理这些木偶了。他给他们刷漆、换新的假发、做新衣新裤。有时，他还要修理木偶的内部零件，保证眼睛和嘴巴能活动。

如今，爸爸的口技绝活已经没有太多用武之地了。有

时，他会带上一个木偶去参加小孩的生日聚会，给大家表演个节目。有时，镇上会邀请他在学校或图书馆的募捐晚会上一展才艺。

但大部分时间，这些木偶就只能干待着，大眼瞪小眼。

有些木偶背靠阁楼墙坐着，有些四仰八叉地倒在沙发上，有些双手交叉放在大脚上。威尔伯是唯一的幸运儿，因为他有自己的扶手椅。

我们小时候都很害怕到阁楼上来。我讨厌木偶瞪着我的样子，我觉得他们的笑里透着一股邪劲儿。

丹尼喜欢把手伸进木偶的后背，拉动他们的嘴巴，给他们配上些很可怕的话。

“我要抓住你，特丽娜！”丹尼让一个叫罗基的木偶咆哮起来。罗基看上去很坏，总是带着满脸的冷笑，他身穿红白条纹的T恤和黑色牛仔裤，看上去简直坏透了。“今晚，我要到你房间去，特丽娜，我要抓住你！”

“行了，丹尼！别闹了！”我只好尖叫着跑到楼下去向妈妈告状，说丹尼又在吓唬我了。

那时我也就八九岁吧。

现在我长大了，也更加勇敢了。可每次上这儿来，我还是会有点胆战心惊。

我知道，这样挺傻的。可有时，我脑子里情不自禁地

浮现出这样一个场景：这些木偶围坐在一起，谈笑风生，开怀大笑。

有时，半夜三更的时候，我躺在床上，就听到天花板发出嘎吱嘎吱的响声。是脚步声！我总觉得仿佛看到了那些木偶们蹬着大黑皮鞋，在阁楼里转悠来转悠去。

我还想象他们在旧沙发上扭打成一团，或者在玩接球游戏，一接到球，他们的木手就会发出清脆的声音。

傻吧？当然是挺傻的。

可我就是控制不住自己。

木偶本来只是逗乐的小玩意儿，可他们却把我吓得要命。

我讨厌他们一眨不眨直冲我瞪眼的样子，也讨厌他们张着红嘴唇僵笑不止的样子。

丹尼上阁楼是因为他喜欢玩木偶，而我只是喜欢看爸爸怎么把他们修好。

我可不喜欢一个人跑上来。

丹尼拿起露西小姐，这是他们当中唯一的女性。她长着长长的金色鬈发，一双蓝眼睛格外明亮。

弟弟把手伸进木偶的后背，让她坐在自己的膝盖上。“嘿，特丽娜。”他用尖细的声音说。

丹尼刚说了几句，突然停了下来，嘴巴张得大大的——活像一个木偶——指着房间的另一面。

“特丽娜，看……看!”丹尼结结巴巴地说，“那儿!”

我飞快地转过身，只见罗基——那个长着一副坏样的木偶，眨了眨眼睛。

只见罗基身体前倾，一脸不屑的样子，我不禁倒吸了口冷气。“特丽娜，我要抓住你!”他咆哮道。

2 笑面人

我惊叫一声，往后一跳。

我转过身去，刚想往楼梯跑，就听见丹尼哈哈大笑起来。

“喂——”我气呼呼地喊道，“这是怎么回事?”

我回过身来，只见爸爸从罗基的椅子后面站起身来，用一只手托着他。爸爸笑起来就像这手里的木偶一样夸张。

“噢，上当啦!”爸爸用罗基的声音说。

我只好把气撒到弟弟身上：“你早知道爸爸在那儿了? 一开始你就知道，对吧?!”

丹尼点点头，说：“当然!”

“你跟他一样，也是个木偶!”我气不打一处来。我用双手把头发往后捋了捋，夸张地叹了口气，说：“简直愚蠢至极!”

“上当了吧?”丹尼也不示弱，冲爸爸笑了笑。

“这里谁是木偶啊?”爸爸假装罗基说，“喂——谁在拉你背后的线?我不是木偶——敲敲木头，好运多多!”

丹尼笑了起来，我无可奈何地摇了摇头。

爸爸还不甘心呢。“嘿——到这儿来!”他继续装成罗基说，“给我挠挠后背，我感觉好像招白蚁了。”

我实在是招架不住了，只好笑了笑。这个笑话我已经听过好几百万次了，但我知道，要是我不笑，爸爸肯定会一直逗下去。

他是个超级棒的口技演员，你根本看不出他的嘴在动，可他讲的那些笑话实在是挺烂的。

我想，也许就是因为这个原因，他才改行当了商店老板。不过，我也拿不太准，因为这事在我出生前就已经发生了。

爸爸把罗基放回到椅子上。这个木偶一脸不屑地看着我们。真是个不讨人喜欢的家伙。他为什么就不能跟其他木偶那样笑呢?

爸爸推了推眼镜，说：“到这儿来，给你们看样东西。”

他一手搭在我肩上，另一手放在丹尼的肩上，带着我们来到阁楼的另一端。这是爸爸的工作间，工作台、修理

木偶用的工具和零件都放在这里。

爸爸伸手从工作台下拖出一只大大的牛皮纸购物袋。从他脸上的笑容我就能猜出袋子里装的是什么。不过，我一句话也没说，因为我不想让他失望。

爸爸小心翼翼地把手伸进购物袋中，取出一个木偶，脸上顿时笑开了花。“嘿，孩子们——你们瞧啊！”他欢呼起来。

这个木偶一直被折着塞在购物袋里。爸爸把他平放在工作台上，小心地弄平他的胳膊和大腿。他看起来真像是一个正在做手术的外科医生。

“这是我在一个垃圾箱里发现的，”他告诉我们说，“真是不可思议，有人怎么就这样把他扔了！”

他把木偶稍稍提起来一点，好让我们看得更清楚些，我和丹尼也凑近了些。

“他的脑袋裂成两半了，”爸爸用手扶着木偶的脖子，“不过，两秒钟就能修好，只要用一点胶水就行了。”

我凑上前去，仔细看了看爸爸新得到的宝贝。他的鬈发被漆成了棕色，脸有些古怪，看上去像是很紧张的样子。

他的眼睛是亮蓝色的，闪闪发光，还挺像真人的眼睛。嘴唇鲜红，微微上翘，一副笑容可掬的样子。

真是太丑了，我心想，他笑起来有点粗俗，有几分恶

毒。

木偶的下嘴唇破了一个小口，跟上嘴唇不是很吻合。

他上身穿着一件双排扣的灰色西服，里面露出白衬衫的领子。其实，那领子是用钉书钉钉在脖子上的。

其实，他根本没有衬衫，木头做的身体被漆成了白色。大大的黑皮鞋破得厉害，在穿着灰裤子的细腿上直咣当。

“你们说，有人怎么能这样把他扔进垃圾筒里呢?”爸爸又感叹道，“难道他不好吗?”

“是啊，挺好的!”我嘟囔了一句。其实，我一点儿也不喜欢这个木偶，不喜欢他的脸，不喜欢他的蓝眼睛闪闪发光的样子，不喜欢他那硬生生的笑容。

丹尼肯定也是这样想的。“他长着一副凶样。”他倒是直言不讳。他拿起木偶的一只手，上面布满了深深的划痕，指关节还有一些刀割和刮蹭的痕迹，像是跟人打过架似的。

“他跟罗基比起来要好一些，”爸爸说，“不过，他的笑确实有点儿怪。”他用指尖碰了碰木偶嘴唇上的那个小缺口，说：“我可以用点液体木材填充材料来补上它，再给他的脸重新上一遍漆。”

“这个木偶叫什么?”我问。

爸爸耸了耸肩，说：“这可问倒我了。要不，咱们就

叫他笑面人好了。”

“笑面人?”我厌恶地做了个鬼脸。

爸爸刚想说点什么，楼下的电话铃响了，一声，一声，又一声。

“我想妈妈还在学校开会呢，”爸爸说着朝楼下跑去，“我去接电话，我回来前别动笑面人。”话音刚落，他已经下楼去了。

我小心地捧起木偶的头，说：“看，爸爸粘得可真好!”

“待会儿他该来修理你的脑袋了!”丹尼喊道。

他总这样。

“我觉得他叫笑面人不好。”丹尼拿木偶的双手相互拍打起来。

“叫小丹尼怎么样?”我故意说，“叫丹尼三世也行吧?”

他没理我。“现在爸爸有多少个木偶了?”他转向其他那些木偶，飞快地数了起来。

我动作比他更快：“加上这个新来的，一共是十三个。”

丹尼瞪大了眼睛，说：“这可是个不吉利的数字。”

“嗯，不过要是再算上你，就是十四个。”

这回你算栽了吧，小不点儿!

丹尼向我伸了伸舌头，把木偶的手放回到他胸前。“咦——这是什么?”他把手伸进木偶灰色西服的口袋里，取出一张折叠的纸片。

“也许这上面就写着他的名字。”我从丹尼手中抢过那张纸，举到面前，迫不及待地打开看了起来。

“怎么样?”丹尼还想抢回纸条，可我一下子就躲开了，“他叫什么?”

“上面没写，”我告诉他，“只有这么多稀奇古怪的单词，我想可能是外语吧。”

我心里默念了一会儿，要把它们读出来还真有些费劲呢。接着，我终于大声念了出来：“Karru marri odonna loma molonu karrano.”

丹尼傻眼了：“啊？什么意思嘛?”

他一把抢过纸片，说：“我想你肯定拿倒了。”

“不可能!”我辩驳说。

我低头看了一眼那个木偶。

他睁大蓝眼睛，目光呆滞地看着我。

然后，右眼慢慢地闭上了。他在向我眨眼。

紧接着，他伸直左手——打了我一巴掌。

3 我挨打了

“哎哟——”我大叫一声，连忙往后退了一步，感觉脸上火烧火燎的。

“怎么了?”丹尼的目光始终没有离开过那张纸条。

“你没看见?”我尖叫道，“他……他打我了!”我揉着脸颊说。

丹尼翻着白眼说：“嗯，没错。”

“不——是真的,”我叫道，“他先向我使了个眼色，接着就打了我一巴掌。”

“你再编吧,”丹尼嘟囔道，“你可真怪，特丽娜。你被爸爸的玩笑骗了，可我并不一定会上你的当。”

“可我说的是事实!”我坚持说。

我一抬头，正好看见爸爸从楼梯上露出头来：“怎么了，孩子们?”

丹尼折起纸条后又把它塞回木偶上衣口袋里，说：“没什么。”

“爸爸——那个新木偶！”我一边喊，一边摸着脸，“他打了我！”

爸爸哈哈大笑道：“对不起，特丽娜。你得装得更像一点儿，你可蒙不了我这个专家噢。”

“你可蒙不了我这个专家噢。”这是爸爸最喜欢说的话。

“可是，爸爸……”我欲言又止，我知道他肯定是不会相信我的，甚至连我自己都不敢肯定这是真的。

我低头看了看那个木偶，他茫然地盯着天花板，没有一丝生气。

“有个消息要告诉你们，孩子们，”爸爸一边说，一边扶那个新木偶坐起来，“刚才是我弟弟，也就是你们的卡尔叔叔打来的电话。苏珊婶婶出差去了，他准备过来看看我们，顺便带赞恩来玩几天，他们学校也在放春假。”

我和丹尼都叫苦连天，丹尼还把手指伸进嘴里，做呕吐状。

这个堂兄实在是不太招人喜欢。

虽说我们就他这一个堂兄。

他今年十二岁了，可你会以为他只有五六岁。他实在是个讨厌鬼，老爱流鼻涕，而且胆小如鼠。

他真的是个胆小鬼。

“嘿，别这样，”爸爸严厉地说，“你们只有赞恩这一个堂兄，他和咱们是一家人。”

我和丹尼又发起牢骚来。真的，我们忍不住。

“他不是个坏孩子，”爸爸继续说道，镜片后面的眼睛已经眯成一条缝了，这就是说，他开始当真了，“你们俩必须向我保证。”

“保证什么?”我问。

“你们得保证，这回对赞恩好一点。”

“上回我们对他也不错，”丹尼还嘴硬，“我们都跟他说话了，对吧?”

“上回你们都快把他吓死了，”爸爸皱着眉头说，“你们弄得他真以为这房子闹鬼了，吓得跑到外面不肯回屋来。”

“爸，不过是开个玩笑嘛!”我抗议道。

“对，就是尖叫一声嘛!”丹尼附和着，用胳膊肘捅了我一下，“尖叫一声，对吧?”

“这不好玩，”爸爸不高兴地说，“一点儿也不好玩。听着，孩子们——赞恩是有点儿胆小，他可受不了这个。他以后会好起来的，但你们得对他好一点。”

丹尼偷笑道：“赞恩害怕你这些木偶，爸爸，你相信吗?”

“那就别硬拖着他上来，以免把他吓晕过去。”爸爸叮嘱说。

“我们可不可以跟他开一两个小小的玩笑？”丹尼问。

“不行，”爸爸斩钉截铁地说，“一个玩笑都不许开。”

我和丹尼交换了一下眼色。

“答应我，”爸爸毫不退让，“我可是认真的。就现在，你们俩就得向我保证，不搞恶作剧，不吓唬你们的堂兄。”

“好吧，我保证。”我举起右手，像是在宣读誓言。

“我也保证。”丹尼轻声说。

我注意看了看，他的食指和中指没有交叉在一起，没有！这说明他心里有鬼，呵呵。

我和丹尼都郑重其事地发了誓，我们都保证不吓唬赞恩，我们真的发过誓。

但是，这个誓言我们是不可能遵守的。

不出这个星期，我们的堂兄就会备受惊吓。

然而，我们也不能幸免于难。

4 堂兄赞恩来了

赞恩到家的时候，我正好在弹钢琴。钢琴被塞在最里面的一个小房间里。那是一架小小的黑色直立式钢琴，已经有些破旧，而且还有划痕，是爸爸从我以前的音乐老师那里买来的，如今那位老师早已搬到克里夫兰去了。

这架钢琴有两个踏板坏掉了，而且真的需要调音了。不过，我还是喜欢弹——特别是在我感到紧张或激动的时候，弹琴能让我的心情恢复平静。

我的琴弹得蛮不错，这是连丹尼都承认的事实。他经常会把我从琴凳上推开，抢着去弹那首名叫《筷子》的乐曲。但有时，他也会站在我身后，静心聆听。我一直都在练习海顿的曲子和肖邦较为简单的练习曲。

不管怎么说吧，卡尔叔叔和赞恩堂兄到的时候，我正在最里面的屋子里埋头练琴。我想：大概是因为想到要再次见到赞恩，我有些紧张了吧。

他上回来我家时，我和丹尼对他实在有些差劲儿。就像爸爸说的，赞恩向来对这老房子有些害怕，而我们却千方百计地让他更加害怕。

每天晚上，我们都到阁楼上乱走一气，发出像幽灵一样的吼叫声，把地板弄得吱嘎乱响。我们还半夜三更躲进他房间的壁橱里，弄得他以为是衣服在手舞足蹈。我们甚至拿来妈妈的连裤袜，在他房间的地板上弄出一个像魔鬼的大粗腿那样的影子来吓唬他。

可怜的赞恩。我想我和丹尼是有些过分了。没过几天，他只要一听到风吹草动就立刻跳起来，眼珠子左右乱转，就像一只受了惊吓的蜥蜴。

我听到他对卡尔叔叔说，他永远也不想再到这儿来了。

我和丹尼一个劲儿地嘲笑他。不过，这确实不太好。

所以，又要见到赞恩我感到很紧张。我把钢琴弹得震山响，甚至连门铃声都没听见。丹尼只好跑进来告诉我，卡尔叔叔和赞恩已经到了。

我从琴凳上蹦了起来。“赞恩变成什么样了？”我问弟弟。

“很高的个儿，”丹尼回答说，“他长高了，长高了许多，还把头发留长了。”

一直以来，赞恩就是个大块头男孩。所以，我和丹尼才会觉得，他那么胆小实在显得格外滑稽。

他是个大块头，身板结实，不算太高，所以有点像只斗牛犬，一只金发斗牛犬。

我觉得他实际上长得挺好看的，圆圆的蓝眼睛、金色的鬈发、和善的微笑，看上去像是个经常参加运动或锻炼的人，根本不像是个胆小鬼。

正因为这样，看到他吓得浑身发抖的样子，我才格外生气。有时，他还像个小婴儿一样痛哭流涕，吓得跑去找爸爸妈妈。

我跟着丹尼穿过走廊，悄悄问道："赞恩跟你说什么了吗?"

"也就打了个招呼。"丹尼回答说。

"是好声好气的呢，还是凶巴巴的?"我又问道。

没等丹尼回答，我们已经来到前厅了。

"嘿——"卡尔叔叔与我打招呼，伸开双臂拥抱我。卡尔叔叔看上去可像一只花栗鼠了。他是小个子，脸圆圆的，小小的鼻子总是不停地抽搐着，上嘴唇好像总也包不住那两颗大门牙。

"都长这么高了!"我们拥抱的时候，他大声地叫道，"你长高了许多，特丽娜!"

为什么大人们总喜欢评价一个小孩长多高了呢？难道

他们就想不出来说点别的什么吗?

我看见爸爸正将他们那两个特沉的行李箱拖上楼去。

“不知道你们饿了没有,”妈妈对卡尔叔叔说,“我做了好多三明治。”

我转过身想跟赞恩打个招呼,突然一道白光闪过,我不由得惊叫起来。

“别动,再来一张。”我听到赞恩说。

我飞快地眨了眨眼,想除去那种不舒服的感觉。好不容易定下神来,我才看清赞恩正举着一架相机。

他摁了一下快门,又是一道白光闪过。

“很好,”他说,“你看上去真的很意外,我就喜欢抓拍。”

“赞恩对摄影真的很入迷。”卡尔叔叔骄傲地笑着说。

“我都要瞎了!”我揉着眼睛叫道。

“我需要特别强的闪光,因为这屋里太暗了。”赞恩一边说,一边低头摆弄着相机的镜头。

爸爸拖着步子下楼来,赞恩转过去,又拍了一张。

“赞恩对摄影真的很入迷,”卡尔叔叔又对爸爸说,“我告诉过他,也许他可以在你店里找到一两架用得着的旧相机呢。”

“嗯……也许吧。”爸爸回答说。

其实,卡尔叔叔赚的钱比爸爸多多了,可每次来,他

总是想方设法地从爸爸那里捞走点什么。

“这是架好相机，”爸爸对赞恩说，“你喜欢拍哪种照片？”

“抓拍，”赞恩一边说，一边把头发往后捋了捋，“我还拍了许多静物。”说完，他走进客厅，对着楼梯扶手拍了张特写。

丹尼凑近我，咬着我耳朵说：“他还是挺讨厌的，咱们得好好吓唬吓唬他。”

“不行！”我小声说，“这次不行。咱们都答应爸爸了——你忘了啊？”

“我在地下室弄了间暗房，”爸爸对赞恩说，“有时我把店里洗相片的活带回家来干。如果需要，这星期你也可以用。”

“太好了！”赞恩说。

“我告诉赞恩了，你这儿可能会有多余的相纸给他用呢。”卡尔叔叔对爸爸说。

赞恩举起相机，又拍了一张。接着，他转过去对丹尼说：“你还是那么喜欢玩电子游戏吗？”

“是啊，”丹尼回答说，“主要是运动类的游戏。我有最新版的《NBA大灌篮》，而且我正在攒钱，准备买一台三十二速的游戏机。你还玩吗？”

赞恩摇摇头，说：“有了相机后，我就不玩了。实在是没时间玩。”

“大家去吃三明治吧。”妈妈说着，带头向餐厅走去。

“我想我最好还是先去把行李打开，”卡尔叔叔对妈妈说，“赞恩，你也先去收拾箱子吧。”

大伙儿这才散了。爸爸和丹尼不知走到哪儿去了。卡尔叔叔和赞恩上楼去收拾箱子了——我们家这座旧房子倒是大得很，有好几间空闲的房间。

我正往厨房走，想帮妈妈准备三明治，突然听到赞恩的一声尖叫。

刺耳的尖叫是从楼上传来的。

尖叫声里充满着恐惧。

5 从天而降的木偶

妈妈吓得把准备端三明治的盘子都掉到了地上。

我立即回转身，向前厅冲去。

爸爸已经上了一半楼梯。“怎么回事？”他喊着，“赞恩——怎么啦？”

我跑上楼时，看见丹尼正从他自己的房间里出来，赞恩则站在过道上，脚下有个人正仰面倒在地板上。

尽管距离他还有段距离，我已经看出来赞恩在发抖了。

我连忙走上前去。

会是谁呢？四脚朝天地躺在地上？胳膊和腿脚还都拧成那样了。

“赞恩——怎么了？怎么了？”爸爸和卡尔叔叔一个劲儿地问。

赞恩浑身哆嗦，挂在脖子上的相机好像也在发抖，在他胸前左摇右晃。

我看了一眼地上那个家伙。

原来是个口技木偶。

是罗基。

罗基冲着天花板冷笑，他那红白相间的衬衫半卷着，露出半个木头做的身体，一条腿弯曲着压在身下，两只胳膊摊开放在地板上。

“这个木……木偶……”赞恩指着罗基，结结巴巴地说，“我刚打开房门，他……他就向我砸过来了。”

“啊？他怎么了？”卡尔叔叔叫道。

“他向我砸过来，”赞恩重复了一遍，“就在我推开房门的一瞬间。其实，我也不想喊，可他真的吓着我了。事情就是这样。他可沉了，差点儿砸到我的头。”

我转过身，看见爸爸正怒气冲冲地瞪着丹尼。

丹尼举起双手，不满地说：“嘿——别看我啊！”

“丹尼，你可是发过誓的！”爸爸严厉地说。

“不是我干的！”丹尼叫道，“肯定是特丽娜干的！”

“嘿——不是！”我也抗议道，“不是！不是我干的！”

爸爸眯起眼睛看着我。“我想，十有八九是木偶自个儿爬到门框上去的了！”爸爸转动着眼珠子说。

“开个玩笑嘛，”卡尔叔叔插话道，“你没事的，对

吧，赞恩?”

“当然啦，我没事。”赞恩的脸都红了。看得出来，他为自己大惊小怪挺难为情的，“我就是没想到会有东西掉下来，知道吧。”他低头看着地板。

“咱们把行李收拾好，”卡尔叔叔提议说，“我都有点饿了。”接着，他转过身对爸爸说：“还有多余的枕头吗?我床上只有一个，睡觉的时候我喜欢多几个枕头。”

“我去看看还有没有。”爸爸回答道。然后，他皱起眉头看着我，说：“你和丹尼——把罗基送回到阁楼去。别再闹了，你们都答应过的，记得吧?”

我小心地拾起罗基，把他扛在肩上。“走，替我开门去。”我对丹尼说。

我们沿着过道往阁楼走去。“你怎么回事嘛，耗子?”我悄声对弟弟说。

“不准叫我耗子，”他咬着牙说，“你知道的，我讨厌这个称呼。”

“好吧，我也讨厌不讲信用!”我对他说，“你就不能等一会儿再吓唬赞恩吗?这样会给咱们惹大麻烦的。”

“我?”丹尼假装无辜的样子，“我没把木偶藏在上面，是你干的——你自己心里清楚!”

“我没有!”我低声怒吼。

“嘿，伙计们，我能跟你们一起去吗?”我转过身，看到赞恩就在我们身后。他一直在跟着我们，可我竟然没察觉到。

“你想去木偶博物馆?”我无法掩饰自己惊讶的神情，上一次，赞恩可是很害怕木偶的。

“是啊，我想拍几张照片。”他回答说，双手举起相机。

“酷，”丹尼说，“这个主意太酷了。”看得出来，他是想要对赞恩友好一些。

我也不想冷落他，所以也附和道：“你喜欢摄影真是挺好的。”

“是啊，我知道。”他回答说。

丹尼第一个上了楼梯。走到一半时，我转过身来，只见赞恩正站在楼梯口犹豫。

“你上不上来呀?”我冲楼下喊道，声音在狭窄黑暗的楼梯里回荡。

我看见赞恩脸上掠过一丝恐惧。我明白，他是想表现得勇敢些，不想像上回那样怕这怕那。

“来了——”他答应了一声。只见他深深地吸了口气，然后开始向楼上跑来。

走进阁楼后，他紧紧地跟着我和丹尼。那里有很多双眼睛在黑暗中盯着我们。

我打开灯。所有的木偶都看得一清二楚：有的靠着椅子和旧沙发，有的斜倚在墙上，但个个都龇牙咧嘴地盯着我们。

我扛着罗基来到他的折叠椅旁边，把他从肩膀上拿下来放好，我又把他的手臂交叉着搭在大腿上，帮他整了整条纹衬衣。那个一脸坏样的木偶不屑地看着我。

“丹尼伯伯又弄来几个新家伙，”赞恩走到房间的那头，紧挨着丹尼站在沙发前，举着相机，但一张照片都没拍，“他从哪儿弄到这些玩意儿的?”

“最新的一个是他从垃圾箱里捡来的。”我指着那个满脸狞笑的木偶说。

丹尼拿起露西小姐，举到赞恩面前。“你好，赞恩!给我拍张照片吧!”丹尼用尖细刺耳的声音说。

赞恩乖乖地举起相机。“茄子。”他对露西小姐说。

“茄子。”丹尼用露西小姐的尖嗓门说。

赞恩拍了一张照片。

“好好亲我一下吧!”丹尼假装露西小姐说完，把木偶的脸推到赞恩的面前。

赞恩连忙往后退了一步：“恶心!”

“把木偶放下，”我对弟弟说，“咱们还是下楼去吧，他们可能都在等咱们了。”

“好吧，好吧。”丹尼咕哝着转身放下露西小姐。赞恩在木偶面前走了两步，细细地打量着他们。

我弯下腰，给威尔伯整了整领结。那个老木偶看上去真是衣衫褴褛了。

没等我直起腰来，突然听到一声重重的呱唧声。

紧接着，只听赞恩痛苦地惊叫一声：

“哎——哟——”

6 赞恩也挨打了

我转过身，看见赞恩正在揉着脸。

“嘿——这木偶竟然打了我的脸!”他气鼓鼓地说。

伸手指着那个坐在沙发扶手上的红发木偶。

“我……我简直不敢相信!”赞恩大叫道，“他抬起手臂，他……他竟打我的脸!”

丹尼站在沙发后面，我看见他脸上掠过一丝笑容。不一会儿，他放声大笑起来。“别逗了，”他对赞恩说，“不可能的事!”

“是你干的!”赞恩一边摸着下巴，一边指责弟弟说，“是你动了木偶!”

“不是!”丹尼一直往后退，撞到了墙上，“怎么可能是我？我一直都在沙发后面待着。”

我急忙走到沙发前，问道：“哪个木偶?”

赞恩指着那个画有红色雀斑、满脸堆笑的红发木偶说：“就是这家伙。”

“阿尼，”我说，“他是我爸爸最老的木偶之一。”

“我才不管他叫什么呢，”赞恩厉声说道，“就是他打了我！”

“这也太傻了，”我坚持说，“他只是个口技木偶，赞恩，你看这儿。”

我拾起阿尼，不过，在我印象中这个旧木偶以前没这么沉。我刚想把木偶递给赞恩，他就后退了几步。

“这里怪怪的，”赞恩盯着木偶说，“我得告诉丹尼伯伯去。”

“别，别告诉爸爸，”我恳求道，“帮个忙吧，赞恩，否则我们的麻烦就大了。”

“是啊，别告诉爸爸，”丹尼也跟着说，“刚才也许是这个木偶滑动了一下，或者是别的什么原因。你知道的，他倒下来了。”

“他伸出手来的！”赞恩一口咬定，“我明明看见他抬起手臂，然后……”

他的话被妈妈在楼下的喊声打断了。“快点儿，孩子们！快下来，大家都在等你们呢！”

“来了！”我大声答应着，把阿尼扔回到沙发扶手上。他倒在旁边的木偶身上，我也顾不了那么许多了，跟着丹尼和赞恩来到楼梯口。

我拉住丹尼，让赞恩一人先下楼去。“你想证明什么?”我气呼呼地质问他，“这一点也不好玩!”

“特丽娜，那不是我干的，我发誓!”丹尼举起右手，一本正经地说，“我发誓!”

“那你什么意思?”我问他，“那个木偶真的抬起手来打了他?”

丹尼做了个鬼脸，耸耸肩，说：“我也不知道。我只知道我什么也没干。我没动那木偶的手臂。”

“别装了，”我说，“肯定是你干的。”我往前推了一把弟弟。

“嘿——行了啊!”他嘟囔道。

“你整个一个骗子，”我对他说，“你以为能吓着赞恩——还有我啊。不过，这样做不值得，丹尼。我们都答应爸爸了，记得吗?记得吗?”

他没理我，闷头走下楼去。

我真是气坏了。我知道，是丹尼把木偶放在卧室的门框上好砸到赞恩。我还知道，是他操纵那个木偶的手臂，打了赞恩一巴掌。

真不知道丹尼要把赞恩吓成什么样才算完。

是啊，我是应该制止他。他要是再这么胡闹下去，我们俩这一辈子都翻不了身了，没准儿还会更惨。

可是，我能怎么办呢?

那天晚上躺在床上的时候我还在琢磨这个问题。我根本睡不着，两眼直盯着天花板，满脑子里全是丹尼。真是没想到，他这么能说谎。

木偶是用木头和布做的，我心想，他们是不会伸出手臂来打人的。

而且，他们是不会站起来，四处乱走，还自个儿爬到门框上去的。他们不会自己走路……

他们不会……

就在我迷迷糊糊快要睡着的时候，忽然，房间里响起了踩在地毯上发出的轻轻的脚步声。

一个嘶哑的声音在我耳旁响起：

“特丽娜……特丽娜……”

7 厨房里的黑影

“特丽娜……特丽娜……”

这嘶哑的声音离我耳朵这么近，我腾地一下从床上坐了起来。

我飞快地跳下床，拉过被子，跌跌撞撞地向前走了几步。

差一点儿就撞在赞恩的身上。

“赞恩?”

他打了一个趔趄，往后退了退。“对不起，”他小声说，“我以为你没睡着。”

“赞恩!”我疑惑地叫道，心都快要蹦到嗓子眼儿里了，“你上这儿来干什么?”

“对不起，”他小声说着，又往后退了几步，然后在衣柜前停了下来，“我没想吓唬你，我只是……”

我把手放在胸口，感觉到心跳逐渐恢复正常了。“对不起，刚才冲你这么厉害，”我对他说，“我刚才迷迷糊糊地快睡着了，你小声叫我的时候……”

我打开床头灯，揉着眼睛斜瞄着赞恩。

他穿着宽松的蓝色睡衣，一个裤腿都快卷到膝盖了，头发披散在脸上，看上去完全是一副受了惊吓的小男孩模样，那样子顶多也就只有六七岁吧！

“我本想叫醒爸爸，”他小声说，“但他睡得太沉，我一直敲他的房门，可他根本听不见，所以只好到你屋里来了。”

“怎么了？”我把双手抬到头顶，问道。

“我……我听见有说话声。”他结结巴巴地说，眼睛盯着敞开的房门。

“什么？说话声？”我往后捋了捋头发，拉直了睡袍，看着他。

他点点头，又说：“我的确听到有人说话了，就在楼上。我的意思是，我觉得那声音是从楼上传来的。怪怪的，说得可快了。”

我斜眼看着他：“你确定听到阁楼上有说话声？”

他又点点头：“是啊，我确定。”

“我确定你是在做梦。”我叹了口气，摇了摇头。

“不，我清醒得很，真的。”他从我的床头柜上拿起一

只玩具熊，双手捏了捏。

“刚到一个地方我总是睡不着，”他对我说，“在你们家我从来都没睡过一次好觉!”他不高兴地干笑了两声。

“阁楼上一个人都没有，”说完，我打了个哈欠，向上侧起耳朵，“听，”我对他说，“那里很安静，没有声音。”

我们俩静静地听了一小会儿。

赞恩放下玩具熊。“我能不能吃碗麦片?”他问。

“什么?”我吃惊地看着他。

“吃麦片能让我平静一些，”说着，他不好意思地笑了起来，“从小养成的习惯。”

我眯着眼睛瞥了一眼床头的闹钟，十二点刚过：“你现在想吃麦片?”

他点点头。“行吗?”他难为情地问。

可怜的人啊，我心想，他准是被吓坏了。

“当然，我陪你下楼去厨房，告诉你东西都放在什么地方了。”

我找到拖鞋，穿了起来。我总是把拖鞋放在床底下，我可不喜欢光着脚在过道的地板上走，那里有很多钉子都已经突出来了。

爸妈总说要买地毯，可手头一直很紧。我想：他们一时半会儿还顾不上这事。

赞恩看上去平静多了。我冲他笑了笑，带着他走出了卧室。

他并不是个坏家伙，我心想，只是有点儿胆小——可这又怎么样呢！我决定明早第一件事就是找丹尼好好地谈一谈。我要让丹尼保证，再也不去吓唬赞恩了。

过道很长，还很黑。我和赞恩扶着墙，摸索着走到楼梯口。一般情况下，爸妈都会在过道尽头点一盏小小的夜灯。但前两天灯泡坏了，他们还没来得及换上新的。

我们扶着栏杆，慢慢地下楼梯。暗淡的月光从外面照进来，在客厅里投下了长长的影子。在昏暗之中，我家那些老旧的家具就像一个个幽灵矗立在那儿。

“这屋子总是让我有些发慌。”赞恩小声说着，紧紧地跟在我身后穿过前厅。

“一生下来我就住在这儿了，可有时我也会害怕，”我坦白地说，“旧房子会发出各种奇怪的声音，有时，我觉得这房子好像在呻吟和抱怨。”

“我刚才的确是听到说话声了。”赞恩低声说。

我们蹑手蹑脚地来到厨房。我的拖鞋在油布地毯上发出啪嗒啪嗒的声音。银白色的月光透过窗帘，洒满了厨房。

我伸手在墙上摸索着电灯的开关。

突然，我看见厨房的桌子上倒着一个黑影，顿时愣住

了。

赞恩也看见了。我听到赞恩倒吸了一口冷气，飞快地退回到门口。

“爸爸？你还没睡？”我叫道，“黑糊糊的，你坐在这儿干吗？”

我找到了开关，啪的一声，打开了厨房的灯。

我和赞恩不约而同地失声尖叫起来。

8 他真的在睡觉

我一眼就认出了那件红白相间的条纹衬衣，甚至都不用看他的脸。

罗基斜靠在桌子上，一只手撑着头。

我和赞恩轻轻地走到桌边，我转到另一侧，那个木偶冲我冷笑，呆滞的眼睛里流露出冷酷的神情。

这副样子真是讨厌极了。

“他怎么会到这儿来的?”赞恩问道，目不转睛地看着木偶，好像希望他能给一个回答似的。

“只有一种可能，”我咕哝道，“他肯定是不会走路的。”

赞恩转过来对说我：“你是说丹尼?”

我叹了口气。“当然，还会有谁?他就知道开这种无聊的玩笑。”

“可你弟弟怎么会知道咱俩今晚会半夜跑到厨房里来呢?”赞恩问道。

“去问问就知道了。”我回答说。

我知道丹尼肯定没睡，也许这会儿他正坐在床边，迫不及待地等着听从厨房里传来的尖叫声，自个儿偷着乐呢。他肯定得意极了。

他太得意了，不惜违背对爸爸许下的诺言，非给我和赞恩一个惊吓不可。

我攥紧拳头，怒火中烧。

每次生这么大的气，我都会跑到琴房，拼命地猛弹钢琴。我会使出全身的力气，狠狠地弹上一首索萨的进行曲或一首节奏强劲的摇滚乐。我会使劲敲击琴键，直到平静下来为止。

不过，今晚我决定好好教训教训弟弟。

“来吧，”我催促赞恩说，“上楼去。”

我最后瞥了一眼坐在桌子旁边的罗基，那个木偶正目无表情地看着我。

真是讨厌极了，我心想，我要让爸爸把他放进壁橱或箱子里去。

我强迫自己从那张面带冷笑的木头脸上移开视线。接着，我把双手搭在赞恩肩膀上，带着他回到楼梯口。

“我要告诉丹尼，咱们受够了他这些无聊的把戏，”我小声对赞恩说，“真是受够了。咱们得让他发誓，以后再也不把木偶随处乱放。”

赞恩没吭声。借着昏暗的光线，我看见他一直绷着个脸。

不知他心里在想什么。是不是想起了上回到我家来的经历？是不是想起了上回我和丹尼是怎样吓唬他的？

也许他根本不信任我，我心想。

我们上了楼，轻手轻脚地穿过黑暗的过道，向丹尼的房间走去。

他的房门是半开的。我把门全推开后走了进去，赞恩紧跟着我。

我以为丹尼正坐在床上等着我们呢，我以为他会嬉皮笑脸地为自己的小把戏而得意万分呢。

银白色的月光透过双层玻璃窗照进他的房间。我在门口就看清楚了，他正侧身躺在床上，被子盖得严严实实的，眼睛紧紧地闭着。

装的吧？他真的醒着吗？

“丹尼，”我小声叫道，“丹——尼。”

他闭着眼，一动不动。

“丹尼——我来挠你痒痒了！”我压低声音说。每次我一这样吓唬他，他就会憋不住的，因为他特怕痒。

可他还是纹丝不动。

我和赞恩又走近了些，紧靠床边，借着银白色的月光低头注视着他。

他有节奏地轻轻呼吸着，嘴巴微微张开，发出短暂的鼾声，就像一只老鼠发出的叫声。再加上尖下巴和翘鼻子，他看起来还真有点儿像只小耗子。

我俯下身去。“丹——尼，我可要挠你了！”我轻声说。

说完，我便向后仰起身，以为他会跳起来抓我，嘴里发出“砰”或其他什么声音。

可他仍在睡，每呼吸一次，都发出轻轻的鼾声。

我转向赞恩，他还站在房间的中央。“他真的在睡觉。”我如实以告。

“咱们还是回房间吧。”赞恩小声回答道，又打了个哈欠。

我跟着他来到房间门口。“你的麦片怎么办？”我问道。

“算了吧，我现在太困了。”

刚准备出门，我听到过道里有人在走动。

“啊！”我看到有张脸在过道里一闪而过，不由得惊叫起来。

那是罗基的脸。

他跟我们上楼来了！

9 他为什么要这样做?

我一把抓住赞恩的胳膊，两人同时惊叫一声。

木偶飞快地进了屋。

看到他不是自己在走，我立刻停止了惊叫。他是被人提着的。

是爸爸，他正从后面提着木偶的脖子。

“嘿——怎么了?”丹尼睡眼惺忪地在我们身后喊道。他从枕头上抬起头，眯起眼睛看着我们：“啊?你们在我房间里做什么?”

“我也想问这个问题呢。”爸爸严厉地说，狐疑地看着我和赞恩。

“你……你们吵醒我了。”丹尼嘟囔着。他清了清嗓子，用一个胳膊肘支撑起身子，说：“爸爸，你提着个木偶做什么?”

“也许，这个问题你们当中有人会愿意来回答。”爸爸气呼呼地说。他睡衣外面披了件浴袍，头发全贴在脑门上，也没戴眼镜，所以只能眯起眼瞪我们。

“这是怎么回事？真搞不懂。”丹尼昏昏欲睡地说完，又揉了揉眼睛。

他是在演戏吗？我心想，他是在装无辜吗？

“听到楼下有声音，”爸爸说着把罗基换到了另一只手上，“我下楼去看看发生了什么事，结果发现这个木偶坐在厨房的桌子旁。”

“我没把他拿到那儿！”丹尼大叫着，一下子完全清醒了，“真的，不是我干的！”

“也不是我和赞恩干的！”我连忙说。

丹尼转向我，叹了口气，说：“真的好困啊，我讨厌深更半夜开这种玩笑。”

“但这不是我干的！”我叫起来。

爸爸眯着眼，一个劲地盯着我。没了眼镜，他可真是什么也看不清。“我是不是必须得惩罚惩罚你们姐弟俩了？”他质问道，“是不是必须给你们点厉害瞧瞧了？要不，暑假你们俩就别去露营了？”

“不行！”我和丹尼异口同声地叫道。今年我们俩都将第一次参加露营活动，圣诞节以来，我们谈论的就只有这个话题。

“爸爸，我真的在睡觉。”丹尼坚持说。

“别再编故事了，”爸爸不耐烦地说，“下一次，只要我再发现有一个木偶没有待在他们应该在的地方，你们的麻烦可就大了!”

“可是，爸爸……”我刚说了一句。

“最后一次机会，”爸爸打断我说，“说话算话。要是我看见罗基再离开阁楼，你们俩就等着瞧好了。”他冲我和赞恩挥了挥手，说：“快回自己的房间，别磨蹭，也别啰嗦。”

“你相信我吗?”丹尼问。

“我不相信罗基是自己在屋子里乱走的，”爸爸回答说，“现在躺下吧，继续睡觉，丹尼，我给你们最后一次机会，好好把握吧。”

爸爸跟着我和赞恩来到过道上。“明天见。”他咕哝着走上通往阁楼的楼梯，准备把罗基送回他的木偶博物馆。我听见他一边上楼，一边喃喃地说着什么。

我向赞恩道过晚安后，往自己房间走去。困乏、难过、担心和迷惑，种种复杂的感觉全都涌上了我的心头。

我知道，丹尼一直想用罗基吓唬赞恩。但他为什么要这样做?现在他会停手吗?在爸爸惩罚我们或把我们的暑假彻底毁掉之前，他会停手吗?

我睡着了，可那些问题仍然困扰着我。

第二天早晨，我很早就醒了。我穿上牛仔裤和汗衫，急匆匆地下楼去吃早饭。

罗基又坐在了餐桌前。

10 善待赞恩的日子

我看了看厨房，里面一个人都没有。

幸好，我是第一个下楼的人！

我冲上前去，一把抓住罗基的脖子，把他夹在腋下，用最快的速度跑上了阁楼。

几分钟后我回到厨房，妈妈已经开始做早饭了。

哟！好险啊！

“特丽娜——起得真早啊！”妈妈给咖啡机加满了水，“你没事吧？”

我瞥了一眼桌子，忽然有一种心烦意乱的感觉，好像罗基会在那里坐着，轻蔑地笑我。

当然，这会儿他已经在阁楼上了。我刚把他拿上去。

“我没事，”我对妈妈说，“挺好。”

这一天绝对是善待赞恩的日子。

早饭过后，爸爸赶着去照相机商店。过了一小会儿，妈妈和卡尔叔叔去商场买东西。

这是个明媚的早晨，金色的阳光洒满了屋子，碧空如洗，万里无云。

赞恩取来他的相机，因为他认为这是拍照的最佳时机。

我和丹尼希望他出去走走，可我们的堂兄却喜欢待在家里拍照。

“我对屋子里的装饰线条很感兴趣。”他告诉我们。

我们跟着他在屋里走来走去，我和丹尼郑重地发过誓，要对赞恩好一点，不再去吓唬他。

吃过早饭，赞恩上楼取相机时，我抓住弟弟，把他按在墙上，命令他说：“别再捣鬼了。”

丹尼想要逃跑，可我毕竟比他有劲，把他牢牢地按在墙上，动弹不得：“举起右手发誓！”

“好吧，好吧，”他很快便就范了，举起右手，跟着我重复誓言，“不再对赞恩耍花招，不再捉弄赞恩，不把木偶放到任何地方！”

赞恩拿着相机下来时，我放开了他。“你们这里有些装饰线挺不错的。”赞恩抬头看着客厅的天花板。

“真的吗？”我问道，尽量显出很感兴趣的样子。

其实，装饰线有什么好玩的?

赞恩斜着举起相机，光调焦好像就用了好几个小时，然后，才对准客厅窗帘上方的装饰线拍了一张照片。

“有梯子吗?”他问丹尼，“我真的想拍张近照，我担心我的变焦镜头拍出来会变形。”

于是，丹尼连忙跑到地下室，为赞恩扛来了一架梯子。

我真为我的弟弟感到自豪，他没有因为取梯子的事发一句牢骚，而且整整十分钟了，他都没有就装饰线开过一句玩笑，也没有取笑赞恩。

这可不简单。

我的意思是，多乏味的人才会觉得对着天花板和墙壁拍照是件有意思的事情啊!

而且，我们还在放假，今天又是一个阳光最灿烂、最温暖、最美丽的三月天，跟春天也没什么两样了。而我和丹尼还得待在屋里，为赞恩扶着梯子，好让他能用大镜头拍出一张非常近的装饰线特写。

“太棒了!”赞恩大叫着，又拍了几张，“太棒了!”

他爬下梯子，调了调镜头，胡乱摆弄着相机上的其他几个转盘。

“想出去走走，或干点别的什么吗?”我提议说。

他好像没听见我说话似的。“我想再拍几张楼梯扶手

的特写，”他宣布，“看见阳光透过木栏杆照进来了吗？墙上的图形多有趣啊。”

我快要开始说粗话了，可丹尼发觉我的眼神有些不对，伸出一个手指冲我摆了摆，以示警告。

我咬着嘴唇，什么也没说。

实在是太……太……太无聊了，我心想，不过，至少我们没惹麻烦。

赞恩从各个角度对着栏杆拍得可来劲了，我和丹尼就在旁边站着。拍完十几张后，他的相机开始发出嗡嗡的响声，并急速旋转起来。

“胶卷用完了，”他两眼放光，“知道什么才是真正的酷吗？马上到地下室的暗房去，把照片冲洗出来。”

“酷！”我用尽量听起来真诚一些的口吻回答道。为了善待这个大小孩，我和丹尼已尽到最大的努力了。

“丹尼伯伯说过，我可以用他楼下的暗房，”赞恩一边说，一边看着正在倒胶卷的相机，“真是太棒了！”

“太棒了。”我重复道。

我和丹尼交换了一下眼色。本世纪最美丽的一天，我们却要在地下室的暗房里度过了！

“我从来都没见过洗照片，”丹尼告诉我们的堂兄，“你能让我们看看到底是怎么洗的吗？”

“简单！”赞恩跟着我们往地下室走去，“只要把握好火候就可以了。”

我们穿过洗衣房，经过锅炉，来到最里面的暗房。我们钻进屋子，我打开了那盏特殊的红灯。

“把门关紧了，”赞恩指挥我们说，“不能漏进一丝光线。”

我检查了一遍又一遍，确保门已经关紧。赞恩便开始工作了，他摆好洗照片用的盘子，往里倒入一瓶又一瓶的化学药水，然后取出胶卷，开始冲洗。

我看爸爸洗照片已经不下一百次了。看着相纸上的影像慢慢地显现，然后颜色越来越深，确实挺好玩的。

我和丹尼站在赞恩身边，看着他忙活。

“我想，我已经找到一些非常好的角度来拍摄客厅的装饰线。”赞恩说着，把一大张相纸浸到了一个盘子里，然后又提起来，让它干几秒钟，接着再放进旁边的另一个盘子里。

他露齿一笑，说：“咱们来看看吧。”

他俯下身，举起相纸，对着红灯。

笑容立刻消失了。“咦——这张是谁拍的？”他怒气冲冲地喊道。

我和丹尼凑过去看了看照片。

“这张谁拍的？”赞恩又唠叨了一遍。他气鼓鼓地又从盘子里夹起相纸，一张又一张。

“这些怎么会到胶卷上去的?”他叫着，把那些照片推到我和丹尼面前。

是罗基的照片。

肖像特写。

一张又一张，全是面带冷笑的木偶。

“谁拍的?是谁?”赞恩愤怒地问道，把那些湿漉漉的照片往我们脸上甩过来。

“不是我!”丹尼一边说，一边往后退。

“也不是我!”我也声明道。

可是，会是谁干的呢?我问自己，眼睛一眨不眨地盯着那些照片。每一张照片上都是那张丑陋无比、冷笑不止的脸。

谁干的?

11 阁楼上的审讯

“这里究竟发生了什么事，伙计们?”

木偶们神情木然地盯着我，没有一个出声的。

“到底是怎么回事?”我问道，目光逐一扫过每一个木偶，“来吧，伙计们，快说吧，要不然我就拿电锯来，把你们的头发统统锯掉!”

还是没有一个出声的。

我双臂交叉，环抱在胸前，在这些木偶面前来回来去地踱着方步，用严厉的目光狠狠地瞪着他们。

这时已是傍晚时分，太阳落到了树后面。橘黄色的阳光透过积满灰尘的窗户照进阁楼来。

赞恩的胶卷里怎么会有罗基的照片呢?是谁拍的?

总有人不停地把罗基拿到楼下，还把他放在能够吓着赞恩的地方。

“是丹尼——对不对，伙计们？”我质问面前这些大圆眼睛的木偶，“丹尼来过阁楼——对不对？”

我找遍了地板、沙发和所有椅子底下。

但一无所获，没找到一丝线索。

现在，我只好审讯起木偶来了。当然了，他们肯定是帮不上什么忙的。

别浪费时间了，快下楼吧，我对自己说。

我转身正准备往楼梯口走去，突然，听到有人发出了轻轻的笑声。

“咦？”我惊讶地叫出声来，连忙转过身去。

又是一声轻轻的笑。有人在窃笑。

接着，一个嘶哑的声音响起来：“你的头发是红色的，还是快要生锈了？”

“什么？”我吃惊地用手捂住嘴巴，飞快地扫视着那些木偶。

是谁在说话？

“嘿，特丽娜——你挺可爱。丑得可爱！”跟着，又是一声窃笑，邪恶的窃笑。

“我喜欢你的香水味。这是什么——专门对付跳蚤和虱子的杀虫剂吗？”

我的目光停留在了那个新来的木偶身上，那个被爸爸叫做笑面人的木偶。他笔直地坐在沙发上，声音像是从他身上发出来的。

“掐我一下，我是在做噩梦吗？这真是你的脸吗？”

我惊呆了，后背像是被人灌了一盆凉水。

这嘶哑的声音的的确确是这个新来的木偶发出的。

他茫然地看着我，嘴巴张得大大的，露出僵硬而不快的笑容。

可这声音确实是笑面人发出来的，这些粗鲁的骂人话就是笑面人说的。

但是，这不可能啊！我对自己说。

不可能！

没有口技演员，口技表演用的木偶是不可能说话的。

“这……这太荒唐了！”我结结巴巴地大叫道。

可紧接着，这个木偶开始动起来了。

12 锁定目标

我又发出一声尖叫。

丹尼从沙发后面跳了出来。

木偶应声倒下。

“你，你，你……”我话都说不利落了，愤怒地指着弟弟。

我的心怦怦直跳，浑身上下直发冷。“一点儿也不好玩，你……你吓死我了！”我尖叫道。

可我没想到，丹尼却没笑。他眯着眼睛，嘴巴张得大大的。“谁在开这种玩笑？”他问道，眼睛在这些木偶身上扫来扫去。

“得了吧！”我冲他喊道，“你不会说这不是你干的吧？”

他挠了挠棕色的短发，说：“我一个字都没说。”

“丹尼，你真是个撒谎高手!”我叫道，“你躲在这里有多久了？想干什么？想监视我，对吧?”

他摇了摇头，从沙发后面走出来。“你来这上面干什么，特丽娜?”他反问我，“你是来拿罗基的吧？你又来把罗基拿下楼，好吓唬赞恩吧?”

我气得大叫一声，用尽全身力气，狠狠地推了他一把。

他踉踉跄跄地后退了几步，向沙发倒去。当他摔在那个新来的木偶身上时，他大叫了起来。丹尼像是跟那个木偶扭打了一阵子，才挣扎着想要站起来。

我走到沙发跟前，就是不让他起。他好不容易快要站起来，我又把他推倒。

“你知道的，我没有四处摆放罗基，没有吓唬赞恩，”我大叫道，“谁都知道，这都是你干的，丹尼。你这样会给咱俩惹来大麻烦的!”

“你错了!”丹尼气愤极了，那张小耗子脸涨得通红，“错！错！错!”

丹尼从沙发上蹦起来，那个木偶在垫子上也跳了两下，他的头转了过来，像是在对着我冷笑。

我转过去对弟弟说：“要是你没打算再捣乱，上这儿来干什么?”

“等着!”他回答说。

“什么？等谁？”我一边问，一边双臂环抱在胸前。

“就是等着，”他一口咬定，“还不明白吗，特丽娜？”

我踢着地板上的一个小小的灰尘团，它都粘到我鞋上了：“明白？明白什么？”

“难道你还不明白发生什么事了吗？”丹尼问，“难道你还没看出来吗？”

我弯腰摘掉那团灰尘，可它却粘到了我手上。“你这小耗子脑袋里都在想什么啊？”我翻了个白眼说，“但愿这次是好事。”

弟弟走到我身边，他压低嗓音对我说：“这些事都是赞恩干的。”

我哈哈大笑起来，难道是我没听清他的话？

“别笑，是真的。”他抓住我的胳膊，“我知道我是对的，特丽娜。这一切都是赞恩干的，是他把木偶拿到楼下，然后假装很害怕的样子。赞恩让木偶扇自己巴掌，两次都是赞恩把木偶拿到厨房去的。”

我推开丹尼的手，把手搭到他脑门上，假装试了试他的体温。“你糊涂了吧，”我对他说，“快躺下，我去告诉妈妈，你正发高烧呢。”

“听我说！”丹尼尖叫道，“我是认真的！我是对的，我知道我是对的！”

“为什么？”我问，“赞恩为什么要这样做，丹尼？他

为什么要吓唬自己?”

“为了报复咱俩,”丹尼回答说,“你还不明白吗?赞恩想让咱俩没好日子过。”

我一屁股坐在沙发上,就在笑面人的旁边。弟弟刚才说的我可真得认真想想了。“你的意思是说,赞恩想让爸爸以为是你我在用这些木偶吓唬他?”

“正是!”丹尼说,“所以,这一切都是赞恩干的。他在吓唬他自己,然后让整件事看起来像是咱俩干的——为的就是要咱俩没好日子过。”

我坐在那儿思来想去,下意识地摸着木偶的手。“赞恩吓唬他自己?我想不会。”最后我说,“你有什么证据吗?”

丹尼往沙发扶手上一坐。“首先,”他分析说,“这几次你都没把罗基拿到楼下去,对吧?”

我摇摇头,说:“没有。”

“那好,我也没有,”丹尼说,“所以说,这会是谁干的?罗基自己不会四处走——对吧?”

“当然不会,可是……”

“是相机露出了马脚,”丹尼说,“赞恩洗出罗基的照片,那就是最大的线索。”

我把木偶的手放回到沙发上。“你什么意思?”我不解地问道,这下还真跟不上他的思路了。

“那个相机一直没离开过赞恩的视线，”丹尼继续说，“大部分时间都挂在他脖子上。那么，拍下罗基这些照片的还会有谁呢?”

我使劲咽了一口唾沫：“你是说，赞恩……”

丹尼点点头：“拍照片的人只有可能是赞恩。他偷偷地爬上阁楼，拍下了照片，然后洗出照片后，假装成很害怕、很生气的样子。”

“他一直都在演戏?”我问道。

“当然，”弟弟肯定地说，“他一直都在演戏，一是想要吓唬咱们，二是想让爸爸找咱俩的麻烦。赞恩想报复咱俩，因为咱俩上回吓唬他了。”

我还是有些怀疑。“赞恩不像是这样的人，”我提出自己的理由，“他又胆小，又安静，又害羞。不像是那种会搞恶作剧的人。”

“他有好几个月的时间来计划这件事，”丹尼大声说，“好几个月来计划这次报仇行动。咱们可以证明的，特丽娜。咱们可以躲在这儿等他。这就是我为什么上来，躲在沙发后面的原因。”

“为了当场抓住他吗?”

丹尼点点头。这会儿就我俩，可他还是尽量压低了说话声：“今晚等大家都睡了，咱俩到这儿来等着，看看赞恩会不会上来。”

“好吧,”我同意了，“值得试一试吧……我想。”

丹尼说得对吗?

我们能不能当场抓住赞恩?

得等到大家都睡了，我都快等不及了。我实在是太想知道真相了。

13 深夜行动

外面乌云遮月，风吹得阁楼上的窗玻璃哐当作响，

我们俩摸着黑，蹑手蹑脚地上了通往阁楼的楼梯。我们走一步，停一步，走一步，停一步，尽可能不出声。

老房子在我们脚底下呻吟。

我伸手去摸电灯开关，但却被丹尼推开了。“你疯了？”他小声问，“必须得黑着灯，全黑着，否则赞恩就会知道有人在这儿了。”

“知道了，”我感觉有些困了，“我只是想看看那些木偶。你知道，确保他们都在这儿。”

“他们是都在这儿，”丹尼不耐烦地说，“快走，咱们得躲到沙发后面去。”

我们俩踮着脚尖踏上了阁楼的地板。我什么也看不见，厚厚的乌云把月光挡得严严实实的，一点光都透不进

来。

过了好半天，眼睛总算适应了。我都能看到沙发扶手，又能看到木偶的脑袋和肩膀，影影绰绰的。

“丹尼——你在哪儿?”我小声问道。

“在这后面，快来。”他压低嗓音在沙发后面叫我。

经过沙发时，我能感觉到那些木偶的眼睛正盯着我。我感觉像是听到了一声轻轻的冷笑，又是那种邪恶的冷笑。

但这肯定是我瞎想的。

我在沙发扶手上摸索着，感觉上面有一只木头做的手。真没想到，这木偶的手摸上去还有些温温的。

像人的手一样，温温的。

“别再胡思乱想了，特丽娜!”我自责道。

那个木偶的手摸起来温温的，这是因为阁楼里太热。

风吹得窗玻璃哐当作响。大风呼啸着吹过屋顶，感觉就在我们的头顶。

我听到一声重重的呻吟，然后，一声轻笑和一声古怪的口哨声。

我没理会那些声音，在弟弟身旁蹲了下来。“行吧?就这儿了。”我轻声说，“现在怎么办?”

“嘘——”在黑暗中，我还是能看见他伸出一个手指竖在嘴边，“现在咱们就等着，好好听着。”

我们俩都转过身去，倚着沙发后背，双臂环抱膝盖蹲好。

“他不会来的，”我小声说，“这是在浪费时间。”

“嘘——等着就行，特丽娜，”丹尼责怪我说，“耐心点。”

我打了个哈欠，感觉困得要命。阁楼上很闷热，我都快要睡着了。

我闭上眼睛，想起了赞恩。

吃晚饭的时候，他迫不及待地把罗基的照片拿出给大家看。“不知道是谁拍的这些照片，”赞恩对我爸爸抱怨说，“一半胶卷都白白浪费了。”

爸爸怒火中烧，盯着我和丹尼。不过，他并没有发作。“吃过饭以后咱们再讨论这个问题，好吧?”他平静地提议说。

“我真的吓坏了，”赞恩用颤抖的声音对爸爸说，“发生了这么多古怪的事。”他摇了摇头，继续说道，“哇，真希望今晚别做噩梦。”

“现在还是别谈论木偶了，”妈妈插话说，“赞恩，说说你们学校吧，今年谁当你的老师了？你都学些什么?”

“我能再来点土豆吗?”卡尔叔叔打断了他们的谈话，他伸手去拿那个盛土豆的碗，“味道太好了，我吃起来都没个完了。”

爸爸飞快地瞥了一眼罗基的特写，又气呼呼地看了我和弟弟一眼，然后把照片放回原处。

晚饭后，我和丹尼尽可能地离爸爸远远的。我们可不想再挨训了，不想再听爸爸唠叨，说什么不准吓唬堂兄，要是再不罢手，会遭受怎样的惩罚等等诸如此类的话。

现在，过不了一会儿就该半夜十二点了。我们挤在这黑黑的阁楼上，听着风在耳旁呼啸，房子在脚下呻吟，背靠着沙发，等啊等……

我闭上眼睛，绞尽脑汁地想啊想，想到了赞恩和罗基。

这里不止我和丹尼两个人，我昏昏欲睡地想，还有十三个木偶跟我们在一起，十三双眼睛在这黑暗中瞪得大大的，十三张脸在僵硬地微笑。当然，罗基是个例外，因为他只会冷笑。

空荡荡的没有一丝生气的躯体……

木头做的笨重的头和手……

木偶，周围这些木偶，想着想着，我迷迷糊糊地睡着了。

我梦到木偶了吗？

也许吧。

我都搞不清自己睡了多久。

突然，我被脚步声惊醒了。轻轻的混乱的脚步声，在阁楼地板上响起。

我知道，木偶已经复活了。

14 偷木偶的人

我猛地抬起头，竖起耳朵。

由于两只手一直环抱在膝盖上，现在不仅有些麻木，还有些刺痛了。后脖颈儿也酸痛酸痛的，嘴里又干又酸。

听到脚步声越来越近，我大气都不敢出。

我感觉到了，不是木偶在走动。

只有一个影子。一个，一个人，慢慢地，小心地朝沙发走来。

可我为什么会以为自己听到了木偶在走动呢？那一定是我梦里的某个场景吧。

我甩了甩手，不想要那种刺痛的感觉。

这会儿我彻底清醒了，非常警觉。

脚步声更近了。

会是丹尼吗？丹尼去哪儿了？

我睡着的时候他是不是爬起来了？他是不是正要回到沙发后面来？

不！

我眯起眼，往身旁一看，丹尼就在这儿待着呢。

他双膝着地，趴在地上，看到我动了动，便挥挥手，示意我别出声。

丹尼双手抓住沙发后背，身体前倾，偷偷地向外张望。

我爬到沙发的另一头，把身体压得低低的，探出头看着那长长的黑影。一切都被黑暗笼罩着。

风在房子四周呼啸，整个阁楼上的窗玻璃都在哐当哐当地摇晃和响动。

我想跳出去，想尖叫着跳出去，然后打开电灯。

可我感到，丹尼正用手拉着我的胳膊。他肯定已经猜到我的心思了，竖起一个手指，示意我别出声。

我们都在等着，蜷缩在沙发后面一动也不动，竖起耳朵，仔仔细细地听着每一下脚步声，每一下地板的吱嘎声。

那个黑影在沙发旁边的折叠椅前停了下来，距离我和丹尼只有一步之遥。需要的话，我一伸手就能抓住他的腿。

我拼命想看清他的脸，可正好被沙发挡住了，而我又

不敢把头抬得更高。

我听到木头相互碰撞发出的当当声，那是两只木偶的手在相互敲打。

接着，我听到厚衣服蹭来蹭去的声音和皮鞋碰来碰去的声音。

那个不请自来的人从椅子上拿起一个木偶。

在黑暗中，我眯起眼，定睛一看，那人把木偶甩到了肩膀上，我还看见木偶的手臂耷拉在他的背后，不停地摇晃着。

那个黑影飞快地转过身，向楼梯口走去。

我从沙发后面爬了出来，踮起脚尖，准备跟上那个偷木偶的家伙。

我紧贴着墙，踮着脚尖，尽可能不发出一点声响，屏住呼吸往前走。我听到丹尼就跟在我身后。

那个家伙快走到楼梯口时，我伸手去摸电灯的开关。

我的手在墙上胡乱摸了一气。

摸到了……摸到了，我的手在发抖。

好!

我打开了灯。我和丹尼异口同声地尖叫起来。

15 握手言和

“赞恩!”

我和弟弟尖声喊着他的名字。

赞恩眼睛瞪得圆圆的，嘴巴张得大大的，吓得号啕大哭起来。

我看见他的膝盖都弯了，像是快要瘫倒在地上了。

他一连发出好几声尖叫，然后张开嘴，大口大口地喘着气。

“赞恩——逮到你了!”我好不容易喊出一句话来。

他正好把罗基扛在肩上。

“什……什么?”赞恩费了半天劲，却说不出一句话来。他急着想说话，却说不出，那个一脸冷笑的木偶在他肩膀上一动一动的。

“赞恩——我们猜对了，”丹尼对他说，“你这点小伎俩是不会得逞的。”

我们的堂兄急得咳了起来。

“我们知道，这一切都是你干的。”丹尼说完，走上前去，帮赞恩拍了拍后背。

过了一会儿，赞恩才平静下来。

丹尼把罗基从赞恩肩膀上取下来，放回了椅子。

“你，你，你们是怎么知道的？”赞恩的舌头还在打结。

“我们刚刚发现的，”我告诉他，“不过，你这招够狠的。”

赞恩耸了耸肩，低头看着地板：“你们知道的，就是好玩嘛。”

我盯着他。“好玩？”我气不打一处来，“你想让我们没好日子过，你……你这样做会把我们整个暑假全毁了！”

赞恩又耸耸肩：“这回该轮到我了，明白吗？”

“嗯，现在咱们扯平了。”丹尼说。

“是啊，”我很快附和道，“我们大家都扯平了——对不对，赞恩？”

他点点头。“是的，我想是的。”说着，他慢慢咧开嘴笑了起来，“我真吓着你们了，对吧？不管你们走到哪儿，都会看到愚蠢的木偶。”

我和丹尼都没有笑。

“你是要了我们。”我嘟囔道。

“你把大家都耍了。”弟弟加了一句。

赞恩龇牙咧嘴地笑了笑，这是一种发自内心的笑。看得出来，他对自己的表现非常满意。“我想，我和丹尼是罪有应得吧。”我坦白说。

“应该是吧。”赞恩笑了笑说。拜托，他就不能不那样笑吗?

“既然现在咱们扯平了，那就停战吧?”我问他，“别再用木偶开玩笑了，别再互相吓唬，也别再给对方找麻烦了。”

赞恩紧咬着下嘴唇，想了好久好久。“好吧，停战。”他终于同意了。

我们郑重其事地握了握手，并击掌为誓，然后，大家都笑了。我也不知道是什么原因，三个人都自然而然地开怀大笑起来。

咯咯地傻笑了一阵。

我想可能是天太晚了，我们也都太困了。现在能成为朋友，真是高兴啊，再也不用相互搞恶作剧了。

向楼梯口走去的时候，我感到由衷的开心。

我想，所有那些与木偶有关的可怕的事都结束了。

可我并不知道，一切才刚刚开始。

16 快乐出游

第二天上午，我和丹尼、赞恩一同骑车出去逛了一大圈。半夜里风就逐渐变小了。一路上，轻柔的春风里弥漫着温暖而清新的气息，我们都快陶醉了。

树木还和冬天时一样，光秃秃的。地上的晨霜闪烁着银光。但那香甜、温暖的气息告诉我，春天的脚步已经近了。

我们慢慢地蹬着自行车，沿着一条蜿蜒伸向树林的小土路前行。太阳低低地挂在空中，照在我们脸上感觉暖洋洋的。我停下来拉开上衣的拉链，看到地上有一小丛刚从土里冒出绿芽的水仙花叶子。

“只要再上三个多月的学！”丹尼高高地举起两个拳头，欢呼起来。

“今年暑假，我们就要第一次参加野营了，”我对赞恩说，“是去马萨诸塞州。”

“要去八周呢!”丹尼开心地补充说。

赞恩把头发捋到脑后，趴在爸爸自行车的车把上，蹬得更加来劲了。“我不知道要干点什么，”他说，“也许只是随便玩玩了。”

“今年暑假你想干什么?”我问他。

他冲我笑了笑，说：“就是随便玩玩。”

我们全都笑了。这会儿我的心情好极了，他们也是。

丹尼使劲拉起车把，身体向后仰，把前轮抬离地面。赞恩也学丹尼的样子，结果却撞上了一棵树。

他摔倒在地，自行车压在了身上。我以为他会像以往那样发牢骚，说怪话，可没想到他竟自个儿爬了起来，自言自语地说：“顺利完成任务，赞恩。”

“我想看你再摔一次!”丹尼开玩笑说。

赞恩笑了笑，说：“你试试好了!”

他拍了拍裤子上的灰尘，重新跨上了自行车。我们沿着小路向前骑去，一边开着玩笑，一边开怀大笑。

我想：我们心情这么好，就是因为已经达成停战协议，握手言和了。这下子总算可以完全放心了，不用再担心有人会吓唬自己了。

小路的尽头是一个小小的圆形池塘。刚刚经历过一个漫长的冬季，一半的水面还结着冰，另一半在阳光的照耀下显得波光粼粼，特别漂亮。

赞恩下了车，把自行车放倒在高高的草丛里，然后走到池塘边，咔嚓咔嚓地拍起照片来。

“看啊，那边有些草是从融化的冰里长出来的！”他兴奋地叫着，不停地按动快门，“太棒了！太棒了！”他跪在地上，对着野草大拍特拍。

我和丹尼使了个眼色。我可看不出来那草有什么特别的，不过，也许这就是我为什么当不了摄影家的缘故吧。

赞恩站起来时，一只黑褐相间的小花栗鼠沿着岸边跑了过来。赞恩举起相机，又抢拍了几张。

“嘿！我想我拍到它了！”他欣喜地叫道。

“太好了！”我大声说。今天早晨似乎一切都很顺利。

接下来，我们在池塘边玩了一会儿，又跑到树林里玩了一阵子，忽然感觉肚子已经饿得咕咕叫，于是就骑车回家了。

我们正准备把自行车放回车库时，赞恩发现了我家院子后有一口古井。“酷！”他叫道，两眼直发光，“咱们去那儿看看吧！”

他一手举着相机，跳下自行车，跑步穿过草地来到井边。

那个圆形的石井是用光滑的青石板砌成的，上面都长满了青苔。井口上原先有一个尖尖的红盖子，一次暴风雨把它给刮掉了，爸爸只好扔掉了它。

小时候，我和丹尼经常吓唬对方，说那井里住着怪物和巨人。但这些年来，我们都没太注意这口古井了。爸爸老说要拆掉并填实它，可他一直没那么做。

赞恩拍了几张照片。“下面还有水吗?”他问道。

我耸耸肩，说：“不知道。”

丹尼抱住赞恩的腰，说：“我们可以把你扔下去，看看是不是有水花溅出。”

赞恩从丹尼的手中挣脱开。“我有一个更好的主意。”说完，捡起一块石头扔进井里。

过了好一会儿，才听到下面传来溅水的声音。

“酷!”赞恩叫道。赞恩又拍了几张照片，直到胶卷用完才肯罢休。

然后，我们回家吃了午饭，又到楼上准备去冲个澡。

赞恩在他房间门口停了下来。

我看见，他的眼睛瞪得圆圆的，嘴巴张得大大的，脸惨白惨白的。

我和丹尼跑到他身边。

我们朝他的房间一看——惊恐地叫了起来。

17 房间乱了

“这……这房间，全乱了！”丹尼结结巴巴地说。

我们三人挤在门口往里看，里面乱七八糟的样子简直是难以置信。

我的第一反应是，赞恩一整晚没关窗，是大风把东西吹乱的。

可转念一想，这根本不合逻辑。

衣服全都被从壁橱里拽出来，凌乱地扔在地板上。五斗柜的抽屉都被拉出来，东西全都倒在了地上。

书架也都空了，地上、床上，到处都是书。一个床头柜被打翻了，另一个倒立在床上。一盏台灯倒在壁橱前的地板上，灯罩被撕得破烂不堪。

“看——”赞恩指着房间中央说。

是罗基，他正坐在小山似的衣服堆上面。这个木偶笔直地坐着，两条腿交叉着，随意地摆在面前。他冷笑地看着我们，像是在向我们发出挑战——看你们有没有胆量走进屋里。

“我……我简直无法相信!”我扯着头发叫道。

“不相信什么?”

妈妈的声音吓了我一大跳。

我转过身，看见妈妈正从她自己的卧室里走出来。她一边走，一边把蓝毛衣塞进牛仔裤里。

“妈——”我喊道，“发生了一件可怕的事!”

她的笑容顿时消失了。“到底什么事……”她刚说了几个字就停了下来。

我往旁边侧了侧身，好让她看清赞恩的房间。

“哦，不!”她双手捂着脸，使劲地咽了口唾沫，“是不是有人闯进家里来了?”她声音微弱，还有些发抖。

我赶快看了一眼对面我自己的房间。“不，我想不是，”我说，“只有这一个房间被弄乱了。”

“可……可是……”妈妈急得说不出话来。然后，她的目光停留在了罗基的身上。“他在这儿做什么?”妈妈问。

“我们也不知道。”我回答说。

“可这是谁干的?”她叫道，双手还捂着脸。

“不是我们!”丹尼赶紧声明。

“我们一上午都在外面，”赞恩连忙解释说，“不是我、特丽娜和丹尼干的。我们没在家，一直都在骑车。”

“可……可一定有人干了这件事！”妈妈说，“有人故意把这屋子弄成这样的。”

但是谁呢？我心想，看着这乱七八糟的一切，我的目光停留在了那个一脸冷笑的木偶身上。

是谁呢？

18 梦中舞会

我们都跑进屋里，帮着把房间恢复原样，结果把整整一下午全都耗上了。

壁橱前的台灯坏掉了。其他东西只需捡起来放回原处就可以了。

我们一声不吭地埋头干活，谁也不知道该说什么。

妈妈本打算叫警察的，可又没迹象表明有人闯进家里来过，其他房间都没问题，所以只好作罢。

爸爸从店里回来时，我们还没收拾完。还用说吗，他很恼火。“我该怎么办？把阁楼的门锁上?”他扯着嗓子，冲我和丹尼直吼。

他抓起罗基，一把甩到肩上。“这已经不光光是个玩笑了，”爸爸眯起眼睛盯着我们，“这一点儿也不好玩，这事儿很严重。”

“可这不是我们干的!”我抗议道。这话我都说了不下一百次了。

“好啊，也不是木偶干的，”爸爸反击说，“这一点我可以肯定。”

我对什么事都不能肯定，我心想。爸爸沿着过道，向阁楼走去时，我瞪了一眼罗基那张带着冷笑的脸。然后，我弯腰捡起了地上那盏破台灯。

那天晚上，我又一次梦见了木偶。

我看见他们在跳舞，有十几个呢，就是阁楼上爸爸所有的木偶。

我看见他们在赞恩的房间里跳舞，在乱作一团的衣服和书上跳舞，在床上跳舞，在翻倒的床头柜上跳舞。

我看见罗基在和露西小姐跳舞。我看见威尔伯在跳一种发疯似的怪舞。然后，我看见了笑面人，那个新来的木偶，他拍着手，摇头晃脑，笑着，在房子中间笑着，其他木偶都围着他在跳舞。

他们把大手举过头顶，胡乱挥舞，纤细的腿扭曲跳动。

他们静静地跳着，没有音乐，没有一丝声响。

他们的身体在扭曲，在摇晃，脸上的表情却是僵硬的，一个个龇牙咧嘴地笑着，目光茫然，眼睛一眨也不眨，鲜红的嘴唇笑得人心里直发毛。

在阴森可怕的静寂中，他们上蹿下跳、左摇右晃，龇牙咧嘴，僵笑不止。

我从梦中惊醒，那些笑容顷刻间消失了。

我睁开眼，慢慢地醒过来。

感觉到有一只手重重地掐住了我的脖子。

往上一看，是罗基那张丑陋的脸。

罗基正压在我身上！这个木偶正趴在我的毯子上！

他伸着手，那双重重的木头做的手正掐着我的喉咙。

19 夜半惊魂

我张开嘴，发出了一声惊恐的尖叫。

我伸出双手，一把抓住了木偶的手。

我拼命用脚踢，踢掉毯子，踢开木偶。

那双大眼睛直瞪着我，像是受了惊吓。

我抓住他的头，一把将他推开。

我坐起来，全身都在发抖。紧接着，我抓住木偶的腰。

把他扔到地上。

房间的顶灯突然亮了。爸爸妈妈一起冲了进来。

“发生什么事了？”

“特丽娜——怎么了？”

他们看见趴在我床前的木偶时，都愣住了。

“他……他……”我指着罗基，上气不接下气地说，

“罗基——他跳到我身上，想掐住我。我……我醒过来，然后……”

爸爸扯着自己的头发，大声怒吼道：“够了!”

妈妈挨着我，在床边坐下，抱住了我。我的肩膀颤抖得厉害。

“太可怕了!”我哽咽着说，“我醒过来，他就在这儿!”

“乱套了!”爸爸挥舞着拳头尖叫道，“简直是乱套了!”

妈妈使我平静下来后，我们俩得设法让爸爸平静下来。

最后，大家都平静下来以后，他们关上灯，走出我的房间，还替我关好了门。我听见爸爸把罗基送回了阁楼。

我闭上眼睛，努力不去想罗基，不去想赞恩，还有那些木偶，或其他任何事情。

过了一会儿，我肯定又睡着了。

不知过了多久，我被敲门声惊醒了，两声急促的敲门声，然后又是两声。

我倒吸了一口冷气，直挺挺地坐了起来。

我知道，罗基又回来了。

20 相机毁了

卧室门吱嘎一声开了。

我深深地吸了口气，然后屏住呼吸，在黑暗中瞪大了眼睛。

“特丽娜——”一个声音轻轻地响起，“特丽娜——你醒着吗?”

门开了，一道昏暗的光线从走廊里透进屋里。丹尼先是探了探头，然后才走进屋来。

“特丽娜？是我。”

我长长地舒了口气。“丹尼——你想干什么?”由于刚刚醒过来，我的嗓子有些沙哑。

“我什么都听到了，”丹尼说着走到床边，拉下睡衣的一个袖子，抬眼看着我，“是赞恩把罗基放到你床上的，是赞恩干的!”丹尼压低声音说。

“啊？为什么这样说？咱们有停战协定的——记得吗？赞恩说过不再捣鬼了。”

“没错！”丹尼小声说道，“所以啊，他觉得现在能真正吓着咱们了，因为我们不再怀疑他了。赞恩没有停手，特丽娜，我肯定。”

我咬着下嘴唇，细细琢磨起丹尼的话。可我现在困极了。

丹尼贴到我耳边，兴奋地小声说：“今天上午咱们骑车出去之前，赞恩去过他的房间——记得吗？他说忘记拿相机了，这就是说……在离开家之前，他是有时间把自己房间弄乱的。”

“嗯，也许吧。”我喃喃地说。

“今天晚上，也是他把罗基拿下来，放在你床上。我敢肯定，”丹尼很有把握地说，“我肯定是赞恩干的。咱们必须再到阁楼上去躲起来，明天晚上吧，咱们会再次抓住赞恩的，肯定会的。”

“再躲一次？不行！”我叫道，“那里太热了，而且太可怕。现在，我得离那些木偶越远越好。”

弟弟叹了口气。“我知道，我肯定是对的。”他轻声说。

“我不知道自己都知道些什么，”我说，“反正什么事情我都不知道。”我躺下来，拉过毯子盖在头上，一门心

思只想快点睡着。

第二天晚上，为欢迎卡尔叔叔和赞恩，爸爸妈妈在家里举办了一个晚餐会，还邀请了邻居伯奇一家、坎菲尔德一家和表姐罗彬以及她丈夫弗雷迪。

弗雷迪是个很不错的人，大家都叫他“青蛙”，因为他可以像青蛙一样把腮帮子鼓得圆圆的。“青蛙”长得又矮又小，圆滚滚的，确实很像只青蛙。

他会讲很多很多笑话，总能逗我乐。而罗彬总是千方百计想让他闭上嘴，可他却从来不听。

爸妈很少举办晚餐会，所以他们忙活了整整一天才把餐厅收拾好，又是摆放餐具，又是准备饭菜。

妈妈做了羊腿，爸爸做了他的拿手好菜——特辣的加勒比风味的扇贝土豆。

妈妈在餐桌上摆了些鲜花，并拿出了只在过节时才会用的特别漂亮的盘子和玻璃杯。

大伙都落座了，整个餐厅看起来实在是很不错。我、丹尼和赞恩坐在桌子的一头，“青蛙”也加入了我们的行列。我想：这是因为他就是个大小孩的缘故吧。

“青蛙”给我讲了一个傻瓜的故事。有人问傻瓜：“你能站到自己的头上吗？”傻瓜回答说：“不，不行，那实在是太高了。”

没笑两声，赞恩就从座位上跳了起来。“你要去哪儿?”我问道。

赞恩跑到餐厅门口转过身，回答道：“去拿相机，我想赶在餐桌被弄乱之前拍几张照片。”

说完，他就冲到楼上去了。

不一会儿，我们就听到了他的尖叫声。

大家都跳了起来，椅子被推到身后，在地板上发出重重的刮蹭声。大家都心急火燎地冲上了楼。

我第一个冲进赞恩的房间。一进门，我就看见他站在屋子中央。

他一脸的不高兴。

手里拿着相机。

确切地说，是相机剩余的部分。

相机看上去像是被卡车辗过似的，后盖被拧下来，丢在地上。镜头粉碎，整个相机都已经扭曲变形了。

赞恩拿着相机，转来转去，伤心地摇着脑袋。

我抬眼往床上看去，发现罗基正坐在床上，一卷灰白色的胶卷散落在腿上。

爸爸冲进来，其他人也跟着进了房间。

“出什么事了?”有人问。

“这是赞恩的相机吗?”

“怎么回事?”

“一要给我拍照片，就会发生这种事!”“青蛙”开玩笑说。

谁也没笑。一点儿也不好玩。

爸爸从赞恩手里拿过相机，脸顿时变成了猪肝色。他细细地看了看相机，表情非常严肃。

“这已经不能算是恶作剧了。”他咕哝着。屋子里人声嘈杂，我都快听不太清他说话的声音了，大伙的话匣子都打开了。

“这怎么可以呢?!”爸爸严厉地说了一句，抬起眼看着丹尼，接着又看着我。他久久地瞪着我们，一言不发。

赞恩长长地哀叹了一声。我转过身，看见他快要哭了。

“赞恩——”我刚叫出他的名字。

他却怒吼一声，推开“青蛙”和伯奇夫妇，跑出了房间。

“这里有人干了一件很不好的事情，”爸爸伤心地说，他举起相机，用手指摸着破碎的镜头，“这架相机非常值钱，是赞恩最珍惜的东西。”

客人们一言不发。

爸爸始终瞪着我和丹尼，正准备继续往下说。

这时，我们听到楼下传来一声震耳欲聋的巨响。

21 晚会搅了

“到底是怎么搞的嘛？”爸爸喊了起来。他把破破烂烂的相机往床上一扔，一个箭步冲出了房间。

其他人也都急匆匆地跟着出了门，一边议论，一边往楼下走去，楼梯上发出一阵咚咚咚的脚步声。

我转过身去，对丹尼说：“你还认为这一切是赞恩干的吗？”

丹尼耸耸肩，说：“没准儿。”

“不可能，”我对他说，“赞恩绝对不可能把自己的相机摔坏。他特别爱惜那东西，不可能为了陷害咱俩，亲手把相机弄坏。”

丹尼用困惑的眼神看着我。“那我就不知道了。”他小声说着，看得出来，他脸上掠过一丝恐惧。

我们同时走到卧室门口，一起往外走。接着，我带头

冲到过道，跑下楼去。

快要走近餐厅时，我强压着紧张的心情。

我知道，这屋子里发生了一些非常奇怪的事。爸爸说得对，这已经不能算是恶作剧了。

把赞恩的房间弄得乱七八糟，那不是开玩笑，而是干坏事。

毁掉赞恩的相机，也是干坏事。

一想到罗基，我心里就发憷。木偶无处不在，哪儿有坏事，哪儿就有罗基。

特丽娜，别再胡思乱想了！我责备起自己来。别再把一个口技木偶想得那么邪恶。

这种想法太荒唐了。实在是乱七八糟。

可我还能怎么想呢?

我的喉咙抽紧了，嘴突然干得要命。

我深深地吸了口气，向餐厅走去。

爸爸正站在餐厅门口，用手搂着妈妈的肩，而妈妈则把头埋在爸爸的臂弯里。

她哭了吗?

是的。

客人们都靠墙站着，纷纷摇头，个个都很困惑，表情严肃。他们呆呆地看着这场灾难，轻声议论着什么。

是的，这确实是一场灾难，一场可怕的灾难。

看看餐桌就知道了。

大盘子被掀翻了，爸爸做的扇贝土豆全撒在桌上，有些土豆甚至糊到了墙壁和瓷器柜上。

地上和椅子上到处都是沙拉，面包被揪成了小块，撒满了整个桌子。鲜花折断了，花瓶打翻了，水从桌布一直流到了地上。

玻璃瓶全都翻倒了，一瓶红葡萄酒也倒了，暗红色的酒流了一桌。

我听到妈妈在抽泣，爸爸正在低声地安慰她。客人们都摇着头，从他们的表情可以看出，他们感到很难过，很担心，也很不解。

正在这时，丹尼拽了拽我的肩膀，用手指向桌子的前端。我看见，餐桌前坐着两个木偶。

威尔伯和新来的木偶——笑面人。

他们坐在桌子旁，相视而笑，手里拿着酒杯，像是在庆贺，像是在举杯。

22 笑面人复活

那天晚上，我和丹尼又一次藏到了阁楼的沙发后面。阁楼里漆黑一片，一点声音也没有，就连身边的丹尼我几乎都看不清。

我们都穿着睡衣。阁楼里又干又热，可我的手和脚却冰冷冰冷的。

我们背靠沙发，腿直直地伸在地板上，小声说着话。我们在等待，在倾听，倾听每一声响动。

已经快到午夜了，可我一点睡意都没有。我很警觉，做好了应付任何事情的准备。

准备再次当场抓住赞恩。

这次，我还带上了我自己那架小闪光灯相机。赞恩一上楼来取木偶，我就要把他拍下来。这样，我就可以把它作为证据，证明给爸爸妈妈看了。

没错，最后我感觉丹尼说得对。赞恩就是那个毁了我们家的人。正是他毁了我们的家，吓坏了所有的人，让所有人都以为木偶复活了。

“可这是为什么呢？”我小声对丹尼说，“难道是上回咱们把赞恩吓得太厉害了吗？难道就因为这样，他才会不惜一切代价报复咱们吗？”

“他有病，”丹尼嘟囔道，“这是唯一的解释。他彻底昏头了。”

“真是昏得够彻底的，连自己的相机都不要了。”我摇摇头，喃喃地说。

“是啊，是昏得不轻，竟然还跑到楼下，把餐厅给砸了。”丹尼附和道。

餐厅。我就是根据餐厅里发生的一切才认定是赞恩干的。

当时，大家全都在楼上，都在看他那被毁坏的相机。

只有赞恩一人下了楼。

他是家里唯一有可能毁坏餐厅，搅黄晚餐会的人。

当然啦，他总得表现出一副惊恐万状、惊愕不已的样子，他当然得表现出对一切全然不知的样子。

这个晚上简直是糟透了。

客人们都不知对爸爸妈妈说些什么才好。这事确实怪得有些吓人，没有一个人能解释得通。

客人们都帮着收拾残局，食物全被糟蹋了，根本没法吃。不过，大伙也都没什么胃口了。

餐厅一收拾干净，大家纷纷起身告辞。

最后一位客人一走，我便转向丹尼。“看着吧，”我小声说，“很快就要开家庭会议了。咱俩要被痛骂一顿了。”

但我错了。妈妈很快就回自己房间去了，爸爸说他很烦，不想跟任何人说话。

卡尔叔叔问爸爸，要不要他开车出去买些炸鸡或三明治之类的东西回来。

爸爸眉头紧锁，看了他一眼，跺脚走开了。他把笑面人和威尔伯放回到阁楼后，重重地摔上了阁楼的门，然后走进卧室去安慰妈妈。

赞恩转向他爸爸：“我……我简直不相信，我的高级相机就这样被毁了。”

卡尔叔叔一手搂着赞恩的肩膀，说：“我相信，你丹尼伯伯会从他店里拿一架新相机送给你的。”

“可我还是喜欢我原来那架！”赞恩哭着说。

就在这个时候，我确信赞恩与这一切脱不了干系。他是一直在假装，一直在我和丹尼面前演戏。

但我不会再上他的当了。连门儿都没有。

我特地看了看我的小相机，确保里面还有胶卷。然后，我和丹尼爬上阁楼，等着在黑暗中抓住赞恩。

我们要永远结束发生在我家的灾难。

我们没等太久。

大约半小时后，我听见地板上响起了轻轻的脚步声。

我屏住呼吸，整个身体都变得很紧张，差点把相机掉在地上。

在我身边，丹尼双膝跪在地上，支撑起上身。

我的心怦怦直跳，爬到沙发边上。

噼里啪啦……凌乱的脚步声在光滑的地板上响起。

我看见一个黑影弯下腰，从椅子上拿起一个木偶。

“是赞恩,”我轻声对丹尼说，“我就知道!”

虽说很黑，但我还是能看见他拿着木偶，朝楼梯口走去。

我站起来，双腿有些发抖，但动作还是很麻利。

我举起相机，走到沙发前面。

按下了快门。

一道白光闪过。

我又拍了一张。

又一道白光闪过。

在白光中，我看见罗基垂挂在赞恩的肩上。

不!

不是赞恩!

不是赞恩！不是赞恩！

在白光中，我看见罗基垂挂在另一个木偶的肩上。

笑面人！那个新来的木偶。

那个新来的木偶正拖着脚步，朝楼梯口走去，肩上扛着罗基！

23 我叫斯拉皮

木偶转过身。

我的手摸索着电灯的开关，这时终于打开了。

我僵直地站在沙发前，呆若木鸡。

“笑面人——站住！”我尖叫道。

那个木偶收敛起笑容，眯起眼看着我。“我不叫笑面人，”他说起话来声音嘶哑又刺耳，“我叫斯拉皮。”

他转过身冲着楼梯。

“拦住他！”我对弟弟喊道。

我们俩一个箭步冲向木偶。

斯拉皮猛地一转身，把罗基从肩上一把拽下——狠狠地朝丹尼甩过来。

我拦腰抱住了他，将他扑倒在地。

他双手胡乱挥舞一气，一只手正好打在我的脑门上。

“哎哟!”一阵剧痛袭来，我痛苦地呻吟起来。

我的手从木偶细细的身子上滑了下来。斯拉皮敏捷地跳起来，嘴巴咧得更大，那笑容看起来更加邪恶。

他喜欢这样!

他抬起穿着大皮鞋的脚，照着我的侧肋拼命地踢。

我的脑门还痛得要命，只好侧身一闪，正好看见丹尼从身后抓住了那个木偶。

丹尼用头顶着木偶的后背，两人同时重重地摔到了地上。

“放开我，奴隶!”斯拉皮用他那极其难听的嗓音，声嘶力竭地喊着，“你们都是我的奴隶！放开我！我命令你们!”

趁丹尼和斯拉皮摔打成一团时，我连忙用膝盖支撑着爬起来。

“他可真……有劲啊!”丹尼大声对我说。

这时，斯拉皮已经翻过来，把丹尼压到身下，紧接着他又握起木拳，拳头就像雨点似的落在了丹尼身上。

我竭尽全力，想把他从丹尼身上拉开。

“放开我，放开!”那个木偶尖声叫道，“放开我，奴隶!”

“你给我下来!”我叫道。

我们厮打成一团，难解难分，甚至于没有听见楼梯门被打开的声音，也没听见上楼的脚步声。

先是露出了一张脸，再是一个庞大的身体。

“爸爸!”我上气不接下气地叫道，“爸爸——看哪!”

“到底怎么回事?”爸爸惊叫道。

“爸爸——他活了！木偶活了!”我尖叫道。

“啊?”爸爸眯缝着眼睛，透过镜片低头看着地上的木偶。

木偶四脚朝天倒在丹尼身边，看上去没有一丝生气，一只胳膊弯曲着压在背后，两条腿都折成了两段。

他的嘴巴还像是原来漆上去的那个样子，龇牙咧嘴地笑着，两只眼睛茫然地盯着天花板。

“他是活的!”丹尼说，“这是真的!”

爸爸眼睛一眨不眨地看着地上那个纹丝不动的木偶。

“这个木偶扛起罗基!”丹尼兴奋地高声说，“他说他叫斯拉皮。他扛起罗基，是他把罗基弄到楼下去的!”

爸爸啧啧了两声，摇了摇头。“算了吧，丹尼，”他生气地低声说，“就到这儿吧。”他抬眼看了看丹尼，又看了看我，“我知道，你俩就是捣蛋鬼。”

“可是，爸——”我抗议道。

“我又不是傻子，”爸爸快速地打断我，对我怒目而视，“别以为我会相信你们的故事，什么一个木偶活过来，扛着另一个木偶四处乱走。难道你们的脑子全都坏掉了？”

“这是真的！”丹尼坚持说。

我们都低头看着斯拉皮。他看上去确实不像是活的。过了一会儿，我产生了一种可怕的感觉，刚才发生的一切都是我在做梦。

可是，我突然想起来。“我有证据！”我叫道，“爸爸，我能证明给你看，我没有撒谎！”

爸爸揉了揉脖子。“我累坏了，”他抱怨道，“这一天真是太漫长、太糟糕了。拜托了，让我喘口气吧，特丽娜。”

“可我拍了几张照片！”我对爸爸说，“我有斯拉皮扛着罗基的照片！”

“特丽娜，我警告你……”爸爸刚说了两句。

我便掉转身去找相机。奇怪，相机去哪儿了？去哪儿了？

过了好一会儿，我才发现相机掉在了沙发后面的墙脚，于是连忙跑上前去。

可刚走了几步，我不禁愣住了。

相机的后盖——已经开了。胶卷曝光了，照片全毁了。

我想起来了，相机准是我刚才去抓斯拉皮时甩出去的。我捡起相机，伤心极了。

没有照片，就没有了证据。

我转过身，看见爸爸正气冲冲地看着我。“别再浪费我的时间了，特丽娜。从现在起，你们俩只能待在家里。我都烦死你们了，等赞恩他们走了以后，我和妈妈再考虑怎么处理你们。”

然后，爸爸指了指斯拉皮和罗基。“把他们放回去，快点儿，然后离开阁楼。别再碰我的木偶了，我都说清楚了！晚安。”

说完，爸爸转过身，咚咚咚地下楼去了。

我看了丹尼一眼，无可奈何地耸了耸肩。

我的心怦怦直跳。我气得要命，烦得要命，伤心得要命，胸口都快要爆炸了。

我弯下腰去捡斯拉皮。

那个木偶冲我眨了眨眼。

他嘴咧得更大，笑得更加难看了。接着，只听吧唧吧唧两声，他撅起鲜红的嘴唇，发出两声令人作呕的亲吻的声音。

24 必须除掉他

“别碰我，奴隶！”斯拉皮咆哮道。

我倒吸了一口冷气，往后一跳。我用双臂环抱前胸，好让自己的身体不要发抖。

“你……你真是活的？”丹尼小声地问。

“用你的脑袋瓜打赌好了！”那木偶粗声粗气地叫道。

“你想干什么？”我叫道，“为什么要这样对我们？为什么要给我们惹这么多麻烦？”

丑陋的笑容又出现在他脸上。“要是你们好好待我，奴隶，也许我就不再给你们制造更多麻烦了。也许你们会有运气的，”他拍了拍脑袋，又补充了一句，“敲敲木头，好运多多！”

“我们才不是你的奴隶呢！”我叫道。

他仰起头，干笑一声。“在这里谁是木偶啊？”他也叫道，“你还是我?”

“上几次都是你把罗基弄到楼下去的?”丹尼问。看得出来，弟弟仍然对这一切感到难以置信。

“你们不相信那根干木条会自个儿动，对吧?”斯拉皮冷笑着说，“我和那个丑陋的家伙倒是玩得痛快，我把他放到事发地点，为的就是迷惑你们，让你们这些奴隶相互猜忌。”

“是你破坏了赞恩的相机，捣毁了晚餐会?”我问。

他眯起眼睛，邪恶地看着我：“要是你们这些奴隶不听话，我还会干出更可怕的事来!”

一股怒火在我胸口升腾起来。“你……你会把一切都毁了!”我冲他尖叫道，“你会把我们的生活毁了！你会让我们今年暑假去不成野营的!”

斯拉皮阴险地笑了笑：“你们去不成野营了！你们得待在家里，好好伺候我!”

我勃然大怒。

“不——”我大声抗议道。

我一把抓住他的脑袋，用力拼命地揪着。

我记得，爸爸发现他时，他的脑袋已经破成两半了。我想揪开他的脑袋——让它再次裂成两半。

他又是踢，又是踹，胡乱挥动着手臂。

还用那双大笨鞋使劲踢我的腿。

可我还是紧紧地抓着他不放，用力揪啊揪，揪啊揪，努力想把他的头揪成两半。

“我来试试！我来试试！”丹尼叫道。

我叹了口气，把木偶扔到了地上。“没用的，”我对丹尼说，“爸爸粘得太好，太结实了。”

斯拉皮挣扎着站起来，摇了摇头说：“头部按摩，谢了，奴隶！现在该揉背了。”他放声大笑，声音干哑刺耳，听起来像是在咳嗽。

丹尼惊恐地瞪大了眼睛。“特丽娜——怎么办？”他叫道，声音却特别轻。

“咱们来玩一个把木偶踢下楼梯的游戏，怎么样？”斯拉皮说着，斜睨着我们，“咱们轮流当木偶，你们先来好了！”

“咱……咱们必须采取点行动了！”丹尼结结巴巴地说，“他是个妖怪！他是个恶魔！必须除掉他！”

可是，该怎么办呢？我心想。

怎么办？

突然，我计上心来。

25 投井行动

斯拉皮肯定看穿了我的心思，他转过身，拔腿就跑。

可我立即扑了上去——双手紧紧地抓住了他的小细腿。

我把他的两条腿绞拧在一起，正要将它们打成结时，他发出了一声刺耳的怒吼。

他挥动着一只手臂，木手打到了我的一只耳朵。

可我并没有停下来。

“丹尼——抓住他的胳膊！快！”

弟弟飞快地跑过来，斯拉皮试图打开他，可丹尼弓起腰，快要接近木偶时，他用力抓住了斯拉皮的木手腕。

“放开我，奴隶！”木偶粗声粗气地叫道，“快放开我！你们会后悔的！你们会遭报应的！”

看得出来，丹尼的脸上流露出恐惧的神色。

斯拉皮的一只手挣脱开来，试图朝丹尼的喉咙抡过去。

可丹尼伸出手，再次抓住了那只挣脱的手。

我感觉有很多双眼睛正看着我，于是便抬眼看了看屋里其他的木偶。他们好像都瞪大眼睛看着我们打斗。好一群袖手旁观的看客啊。

我一把就从斯拉皮脖子上扯下那块红色的方巾，麻利地把它塞进了斯拉皮的嘴里。这下他也可以闭上嘴了。

“下楼！快!”我指挥弟弟说。

木偶不停地扭动着身体，竭力想要挣脱。

但我已经把他的腿扭在了一起，丹尼正紧紧地抓住了他的胳膊。

我们拖着他，开始往楼梯口走去。“把他弄到哪儿去?”丹尼问。

“外面。”我回答说。木偶猛地一挣扎，我差点儿脱手。

“穿着睡衣?”丹尼问。

我点点头，开始后退着下楼梯。斯拉皮拼命地挣扎，想要重获自由。我差点失去平衡，仰面翻倒。

“不会走太远的!”我费劲地回答说。

好不容易下了楼，我不得不腾出一只手来打开前门。斯拉皮的膝盖一冲一冲地，想要解开腿上的结。

我推开门后，又抓住了他的腿。

我和丹尼终于把这个木偶弄出了门。

这是一个晴朗却寒冷的夜晚。一层银白色的薄霜覆盖在草地上，半轮明月高高地悬挂在树梢。

“哟——”光脚踩到霜冻的草地上，我冷得叫出声来。

“真……真冷啊！”丹尼冻得话都说不利落了，“我……我快坚持不住了。”

我看见他在发抖。这时，半轮明月被云朵遮住，院子里顿时黑了一大截。我的腿脚也开始发抖了。冷冰冰的水汽浸透了我薄薄的睡衣。

“咱们把他弄到哪儿去？”丹尼小声问。

“就到后边。”

斯拉皮用力挣扎，但我一直抓得很紧。

这时，有个什么东西踩在我的脚丫子上跑了过去。落满霜的土地上，响起了一阵急促的脚步声。

兔子？还是浣熊？

我没停下来看，双手使劲抓住斯拉皮的脚腕子，沿着房子的一侧向后退着走。

“我的脚都失去知觉了。”丹尼抱怨道。

“快了。”我安慰他说。

斯拉皮嘴里虽然塞着方巾，但还是竭力发出了嘶哑的叫声。他的圆眼珠左右乱转，双腿来回乱蹬，拼命想要挣脱。

我和丹尼把他抬到后院，走到那口古井时，我的脚也没了知觉，浑身上下冻得直发抖。

“该怎么办?”丹尼问道，声音很微弱。

云飘走了，院子里又变得影影绰绰了，银白色的月光照在古老的石井上。

“把他扔到井里去。”我咬牙切齿地说。

丹尼吃惊地看着我。

“他是个邪恶的家伙，”我说，“咱们也没别的办法。”

丹尼点点头。

我们把斯拉皮放在井口光滑的石板上。他一直哼哼着，想要叫出声来。

我看见，丹尼又在发抖。

“这是个木头做的木偶，”我对他说，“不是人，是个邪恶的木偶。”

于是，我们同时用力一推。

木偶滑下石板，掉进了井里。

我和丹尼一动不动地等着，一直等到亲耳听到从很深的井里传来水花飞溅的声音。

然后，我们并肩跑回了家。

他消失了！我庆幸地想，内心充满了喜悦。这个邪恶的家伙终于永远消失了！

那天晚上，我睡得特踏实，也没梦见什么木偶。

第二天早晨，我在过道里见到丹尼，两人相视而笑，感觉特别好。

跟着丹尼下楼时，我忍不住哼起歌来。

爸爸站在厨房门口，皱着眉头直瞪我们。“他在这儿干什么?”爸爸问道。

他指着厨房问。

指着餐桌。

指着斯拉皮。他正坐在餐桌前，露出一脸画上去的奇丑无比的笑容，眼睛睁得大大的，一副无辜天真的模样。

26 他又回来了

丹尼嘴都合不上了。

我尖叫一声。

“别装蒜了，快把他拿走！”爸爸气冲冲地说，“他怎么会全都湿了？你们把他拿出去淋雨了？”

我从厨房的窗户里望出去，一道闪电划过黑压压的天空，雨点密密麻麻地打在窗玻璃上，雷声震耳欲聋。

“今天的天气可不好。”卡尔叔叔说着，从我和丹尼的身后走过来。

“咖啡已经煮好了。”爸爸对他说。

“瞧啊，你们的朋友下楼吃早饭比我们还积极呢。”卡尔叔叔指着斯拉皮，打趣地说。

木偶的嘴似乎咧得更大了。

“把他拿出去，特丽娜！”爸爸严厉地叫道，“有人想吃薄煎饼吗?”他向橱柜走去，开始找平底锅。

“给我多来点，我饿极了。”卡尔叔叔说，“我去看看赞恩起床了没有。”说完，他转身急匆匆地走出了厨房。

为了找那个常用的平底锅，爸爸半个身子都钻进橱柜里去了，还把里面的锅碗瓢盆碰得哐当作响。

“爸爸，有件事我必须得告诉你了。”我轻轻地对爸爸说。我再也忍不住了，必须把真相告诉爸爸，必须把整件事和盘托出。

“爸爸，斯拉皮很邪恶。”我对他说，“他是活的，而且很邪恶。昨天晚上，我和丹尼把他扔到井里了，我们必须得除掉他。可现在……他又回来了。你必须得帮我们，爸爸。我们必须得除掉他——马上!”

我长长地舒了口气，总算把整件事情都说出来了，一吐为快的感觉真是好极了。

爸爸从橱柜里伸出头来，转向我说：“你在说话吗，特丽娜?我弄的动静太大了，听不清你说什么。”

“爸爸，我……我……”我顿时傻了眼。

“把那个木偶拿出去，马上!”爸爸大声叫道。紧接着，他又把头伸进了橱柜，“怎么回事，好端端的一个锅，怎么会平白无故地失踪呢?”

我大失所望，重重地叹了口气。这时，一声惊天动地的响雷吓了我一大跳。

我摆了摆头，示意丹尼来帮忙。我们把斯拉皮从椅子上提起来，我抓着他的腰，尽可能离自己远一些。

他的灰外套湿漉漉的，黑皮鞋也一直在滴水。

我们上到阁楼楼梯一半时，斯拉皮眨了眨眼，轻声笑了起来。“干得不错嘛，奴隶。”他说话的声音很刺耳，“不过，还是认输吧。我是永远不会走的，永远！”

27 疯狂的想法

真是一个郁闷的早晨。

倾盆大雨敲打着窗玻璃，白亮亮的闪电不时划过黑沉沉的天空，房子在轰鸣的雷声中颤抖着。

我感觉，我的心里好像也正在下着一场暴风雨，一团团浓重的乌云几乎要把我压垮了，巨大的雷声响彻我的脑袋，淹没了我的思想。

我和丹尼倒在书房里的沙发上，透过大玻璃窗上的百叶窗看着暴风雨。我们绞尽脑汁，得想出一个办法来除掉斯拉皮。

屋子里冷冰冰、潮乎乎的，冷风从老掉牙的窗户里灌进来。我捋着两个袖子，尽量使自己暖和些。

家里就剩我们俩了，爸妈带着卡尔叔叔和赞恩去镇上了。

“我想要告诉爸爸，”我说，“你听到的，丹尼。我想把斯拉皮的事告诉他，可他没听见。”

“不管怎样，爸爸也不会相信你的，特丽娜。”丹尼叹了口气，闷闷不乐地说，“谁会相信呢？”

“一个木头做的木偶怎么会活过来呢？”我摇着头问自己，“怎么会呢？”

这时，我突然想起来了。

而且，我也突然想到了一个主意。

我从沙发上蹦起来，拉起弟弟的手，说：“跟我来。”

他把手缩了回去，不解地问：“去哪儿？”

“阁楼。我知道怎样才能让斯拉皮睡过去，永远地睡过去了。”

我在阁楼门口停下来，拉住了丹尼。“轻点，”我对他说，“斯拉皮可能在睡觉。要是他睡着了，我的计划就会容易得多。”

我打开门时，正好一阵雷声响起。我带头走上楼梯，特别慢，特别小心，一步一停。大雨打在屋顶的声音听得格外清楚，闪电划过的白光也清晰可见。

上到最后一级台阶时，我转过身，向存放木偶的方向走去。又是一道闪光划过，木偶的影子都投射在对面的墙上。白光闪烁，影子像在移动。

丹尼跟在我身后。“到了，接下去怎么办？”他小声问道。

我举起一个手指放到嘴边，踮起脚尖在屋子里穿行。隆隆的雷声又一次响起，在阁楼上雷声听起来格外响。

今天上午我和丹尼把斯拉皮抬上来后，就把他扔在了地板上。当时，我们实在是太害怕了，一分一秒都不愿多待，甚至不愿把他放回到椅子上去。我们只想扔下他，立刻离开阁楼。

在闪烁的白光里，我看到了斯拉皮。他正仰卧在屋子中央的地板上。其他木偶都坐在他的周围，默默地咧着嘴笑。

我走近一步，又一步，尽可能不发出一丝响动。

我低头看着这个邪恶的木偶，手臂放在身体的两侧，两条腿绞拧着。

他闭着眼睛。

太好了！

他闭着眼睛，说明他正在睡觉。我又朝斯拉皮走近了几步。这时，我感到丹尼正扯我的胳膊，想把我拖住。“特丽娜——你要干什么？”他小声问道。

我飞快地看了一眼斯拉皮——还睡着呢。雷声再次响起，感觉这巨大的声响就像是从我们头顶上发出的。

“还记得我念的那些古怪的单词吗？”我压低声音对弟弟说，眼睛却一刻也没离开那个邪恶的木偶，“记得那张纸条上那些古怪的单词吗？”

丹尼想了片刻后，点点头。

“嗯，也许就是那些单词使他复活的，”我小声说，“也许那就是神秘的咒语。”

丹尼耸了耸肩。“也许吧。”听上去他好像没抱太大的希望。

“我看见你把那张纸条塞回斯拉皮的外衣口袋了。”我对弟弟说，“我要把它拿出来，再读一遍。没准儿，使他复活的咒语也一样能使他重新回到休眠状态。”

当然啦，这确实是个疯狂的想法。

可是，木偶复活同样不可思议。而且，一个木偶还想把你变成他的奴隶，这就更离谱了。

一切都疯狂了。所以啊，没准儿我这个疯狂的主意还真能奏效呢。

“祝你好运！”弟弟轻声说，眼睛一直盯着地上那个沉睡的木偶。

我向斯拉皮靠近。

在他身边跪下来。

深深地吸了口气后，屏住呼吸，很慢很慢地把手伸向他的上衣口袋。

我知道，那张纸条就在他口袋里。只是，我这样做会不会惊醒他？

我放低手，再低一点。

手指已经碰到上衣口袋。

我依旧屏声息气，两个手指正准备伸进口袋。

“逮住了!”斯拉皮尖叫着，突然抬起双手来，抓住我的手腕，越捏越紧。

28 神秘的咒语

我吓了一大跳，差一点摔到他身上。

我挣扎着想保持身体的平衡，可说时迟，那时快，他的木手已经掐住了我的手腕，而且越来越用力，深深地掐进了我的皮肤。

“放开我!”我尖叫起来。我拼命挣扎着想要抽回手腕，可他实在是太有劲，太有劲了。

硬邦邦的手指牢牢地掐住我的手腕，而且是越来越用力，越来越用力——手上血液好像都快不流动了。

“放开我，放开我!”我不停地尖叫着。

“我命令你，奴——隶!”斯拉皮扯着嘶哑的嗓门叫道，“你得听从我的命令，永远服从我！否则，你会为此付出代价的!”

“放开我！放开我!”我还是尖叫不止，一边用力拉，一边挣扎着站了起来，上下抽动着手臂。

可斯拉皮还是紧抓不放。

他的身体一上一下在空中乱蹿，我一甩，他就被打到地板上，我一拉，他又被甩到了空中。

可他的手却掐得更紧了。

我不仅无法挣脱，而且还得忍受疼痛——剧烈的疼痛。从手臂、两肋到全身的每一个地方，都备受剧痛的折磨。

“把我拿起来，奴——隶！”木偶嘶叫道，“把我拿起来，放回到椅子上去！”

“放开我！”我叫道，“你快弄断我的手腕了！放开我！”

木偶发出了冷冷的一笑。

剧痛刺穿了我的全身，腿打着晃，跪倒在地。

这时，我转头看见丹尼正向我们冲过来。

我以为他会抓住木偶的手，把我解救出来。

可他没有，他抓住了木偶的上衣口袋。

斯拉皮立即松开了我的手腕，但为时已晚。

丹尼从口袋里抽出了那张纸条。

斯拉皮朝丹尼的手狠狠地打过去，想要抢回那张纸条。

但丹尼飞快地转了个身，打开纸条举到面前。然后，他大声地念起了上面那些神秘的咒语。

“Karru marri odonna loma molonu karrano.”

能有用吗?

能让斯拉皮重新回到休眠状态吗?

29 所有的木偶都复活了！

我揉搓着痛楚不堪的手腕，目不转睛地看着那个满脸狞笑的木偶。

他也瞪着我，然后眨巴了一下眼睛。

他狂笑一声，笑声盖过了隆隆的雷声，盖过了大雨泼洒在屋顶发出的响声。

“用这个办法是行不通的，奴隶！”斯拉皮得意地叫道。

我后退了一步，后脊梁顿时凉透了，浑身打起了哆嗦。

计划落空了。

这是我唯一，也是最后一个计划。我们孤注一掷，却彻底失败了。

我看到丹尼脸上露出了失望的表情，纸条从他指间飘

落下来，掉在了地上。

“你们会为此付出代价的！”斯拉皮威胁我们说，“你们愚蠢之至，妄图打败我，我要你们为此付出代价！”

他双手撑地，想从地上爬起来。

我后退了一步。

只见其他木偶都动了！

所有的木偶！他们从椅子上滑下来，从沙发上爬下来。

他们舒展着细细的手臂，活动着巨大的木手。

他们的头上下来回地摆动，弯了弯膝盖，正准备向我们走来。

他们全都复活了！这十二个木偶，在丹尼念完那句咒语后，全都活过来了！

十二个木偶，摇头晃脑地向我和丹尼走来。

我们被包围了。木偶们拖着笨重的大皮鞋，一步一步向我们走来，把我和丹尼围了个水泄不通。

他们拖着脚步，边走边摇晃着僵硬的身体，狞笑着，冷冷地狞笑着。

一步一步地逼近我们。

30 木偶群殴

威尔伯一瘸一拐地向我们走来，向前伸出他那双残破的大手，正准备来抓我们。露西向我们走来，她那双大大的蓝眼睛里发出冷冷的光。阿尼也在靠近我们，发出一声声刺耳的傻笑。

越来越近了。

我和丹尼来回转着圈子，可哪儿都一样，我们已经无路可逃了。

木偶们的大鞋刮蹭着木地板，发出很响的声音。每走一步，他们的膝盖都会打个弯，看上去就像快要栽倒在地上似的。

但是，他们仍在向我们走来，一个个东倒西歪的，身体蜷曲，摇头晃脑。

活了！木头做的家伙竟然全活了！

丹尼抬手捂着脸，像是在保护自己。

我后退了一步，可离身后的木偶又近了一步。

我深深地吸了一口气，然后屏住呼吸。

等着。

等着那些木头做的手来抓我。

当威尔伯和阿尼跌跌撞撞地从我面前走过时，我大声地出了口气。

木偶们竟然都从我和丹尼身边走了过去。

就像我们根本不存在似的！

我目瞪口呆地看见，他们竟然把斯拉皮围了起来，罗基揪住斯拉皮的衣领，露西抓住了斯拉皮的皮鞋。

木偶们的包围圈越来越小，越来越小。

我都看不见他们对斯拉皮干了些什么，只能看见他们细细的胳膊又是推，又是拉，又是拖，又是拽，所有的木偶都扭打成一团了。

他们正在同他搏斗。

是要把他撕碎吗？

我看不见。可我听到了斯拉皮惊恐的尖叫声。

我和丹尼紧紧地抱在一起，看着眼前这奇怪的一幕，真像是橄榄球比赛中的场景，只不过这是一场木偶的橄榄球比赛。

在对付斯拉皮时，木偶们不时地咕哝和呻吟着，嘴里念念有词。

我们看不见中间的斯拉皮。

只听他尖叫一声。

后来就再也没听见他的叫声了。

正在这时，阁楼的门开了。

楼梯上传来了脚步声！

有人正向楼上走来！

31 斯拉皮完了！

我捅了丹尼一下，拉着他向楼梯口跑去。

看见赞恩爬上楼梯，正斜睨着我们时，我俩不约而同地叫了起来。

他有没有看见木偶们正在打架？有没有看见木偶们全都复活了？

我转过身——正好看见木偶们顷刻间全都塌倒在地上。

“哇！”我大叫道，心怦怦直跳。我拼命地眨巴着眼睛，无法相信眼前的一切。

十二个木偶死气沉沉地倒在地上，手臂和腿脚胡乱地缠绕在一起，嘴巴张得大大的，眼睛茫然无神地瞪着天花板。

斯拉皮四脚朝天地躺在中间，头歪向一侧，眼睛里没

有一丝生气，张着嘴巴，笑容还是那样丑陋。

他已经彻底完了，和其他木偶一样，完全没有了生命。

是其他木偶摧毁了他的邪气？

斯拉皮会永远变成这样一根毫无生命的木头吗？

我没时间去想这些问题了。赞恩快步走上前来，板着脸，目不转睛地盯着那堆木偶。

“抓住你们了！”赞恩对我和丹尼喊道，“抓住你们两个了！还想继续搞恶作剧！我就知道，就是你们俩干的！我要告诉丹尼伯伯你们干的好事！”

32 赞恩的新朋友

当然喽，不会有人相信我和丹尼。

当然喽，所有人都相信赞恩。

我们遇到了有生以来最大的麻烦。我和丹尼都被关了禁闭，很可能不到四十岁，我们都别想迈出这个家门了！

第二天，赞恩和卡尔叔叔站在门口和大家告别。跟人告别是件伤心的事，可我们姐弟俩与赞恩告别时却不怎么难过。

“我以后再也不想来你们家了。”赞恩在过道里小声对我说。可一转脸，他却假惺惺地冲着爸爸妈妈笑了起来。

“赞恩，你喜欢什么样的相机？”爸爸一只手搭在赞恩的肩膀上问道，“你生日快到了。到时，我准备送给你一架新相机。”

赞恩耸了耸宽宽的肩膀。“谢谢，”他对爸爸说，

“不过，我对摄影真的不太感兴趣了。”

爸爸妈妈惊讶地扬起了眉毛。

“好吧，那你想要什么样的生日礼物?”妈妈问，“你还对其他什么东西感兴趣?”

赞恩不好意思地低头看着地板：“嗯……我有点想当一名口技演员——就像你一样，丹尼伯伯。”

爸爸开心地笑了起来。

真是个马屁精，这话可说到爸爸心坎里去了。

“也许你有不用的木偶，送一个给赞恩好了。”卡尔叔叔提议说。

爸爸摸着下巴。“嗯……也许吧，”他转过来对我说，“特丽娜，快去阁楼上，找个好一点的木偶让赞恩带回家去。别拿那些旧的，找个好的，赞恩会喜欢的。”

“没问题，爸爸。”我殷勤地回答道。接着，我快步跑上阁楼，刚才我都忍不住开心地笑了起来，但愿没被其他人发现。

你能猜到我给赞恩选哪个木偶吗?

我知道，这样做确实有点差劲，可我真的没有别的选择了——对吧?

“这个挺不错的，赞恩。”不一会儿我就跑回楼下，把一个咧嘴而笑的木偶放在了赞恩的手上，“他叫斯拉皮，我想你们俩一定会相处得很愉快的。”

但愿赞恩在学习口技表演时乐趣多多！

可我感觉他可能会遇到一点点小问题，因为赞恩带着斯拉皮上车时，我亲眼看见那木偶又冲我眨了眨眼睛。

预告

狼 人 猎 物

（精彩片段）

4 秘密隧道

我以为里面有一个房间，一间储藏室或锅炉房。有些老房子——比如我姑妈哈丽特家——就有储煤房，把烧壁炉用的煤都放在里面。

但是我们看到的不是这样。

我眯起眼睛盯着那一片黑暗，发现自己面前是一条隧道。

一条漆黑的隧道。

我伸出手，摸了摸墙壁。是石墙，冰冷的石墙，冰冷而潮湿。

“我们需要手电筒。”卡拉轻声说。

我又摸了摸冰冷、潮湿的石墙，然后我转向卡拉。“你是说我们要进隧道?”我问。

问得真傻，我们当然要进隧道。如果你在你们家地下室发现了一条秘密隧道，你会怎么做?

你肯定不会站在入口处琢磨来琢磨去的，你肯定会进去看个究竟。

卡拉跟着我走到爸爸的工作台前，我拉开一个个抽屉，寻找手电筒。

“那条隧道会通向哪里呢?”卡拉若有所思地皱起眉头，问道，“也许会通到隔壁人家，也许它把两座房子连在一起。”

“隔壁那一边没有房子，”我提醒她，“是一片空地。自从我住在这里以来，就一直空着。”

“哦，但它肯定通向什么地方，”她回答，“一条隧道，不可能哪儿都通不到。”

“考虑得真周到。”我讽刺地回答。

她推了我一把。

我也推了她一把。

然后，我在一个放工具的抽屉底部发现了一个塑料手电筒，我和卡拉同时伸手去抢。我们又打了一架，这次速战速决，我把手电筒从她手里夺了过来。

“凭什么呀?”她问道。

“是我先看见的，”我说，“你自己找一个吧。”

几秒钟后，她在工作台上面的架子上找到了第二个手电筒。她用它晃了晃我的眼睛，我朝她嚷嚷起来。

“好吧，准备好了。”她说。

我们匆匆回到门口，两道手电筒的亮光在地下室的地面上交叉照射。我在敞开的门口停住脚步，照了照隧道里面。

卡拉的手电筒照在石墙上，石墙上覆盖着一层青苔。在光滑的石头地面上，有一些小水坑，里面的积水在我们手电光的照射下闪闪发亮。

“里面很潮湿。”我喃喃地说。我朝隧道里跨了一步，用我的手电筒照着石墙。空气一下子变得冷多了，我打了个哆嗦，被温度的突然改变吓了一跳。

“是啊，”卡拉赞同道，“这里面像个冰箱。”

我举起手电筒，直接照着前方。“我看不到隧道的尽头，”我说，“可能有好多好多英里长呢！”

“只有一个办法能够弄清，”卡拉回答，她举起手电筒，又一次用它照花了我的眼睛，“哈哈！你上当了！”

“这不好玩！”我抗议道。我用我的手电筒去照她的眼睛，我们展开一场短时间的手电筒大战。这一下谁也没赢，我们俩眼前都闪着一个个黄灿灿的光斑。

我转过身看着隧道。“喂！”我喊道，我的声音变成了许多回音，“里面——有人——吗？”我大声问。

卡拉把我推到了湿乎乎的石墙上：“闭嘴，弗莱迪，你为什么不能严肃一点？”

“我很严肃，”我对她说，“好了，我们走吧。”我用肩膀顶了她一下。我想把她也撞在墙上，但是她脚底下站得很稳，身体纹丝不动。

我垂下手电筒，让它照着我们脚下的路，卡拉用她的手电筒一直照着前面。

我们走得很慢，小心地绕过那些水洼。我们在隧道里越走越深，空气也更加寒冷了。

我们的鞋子发出轻轻的摩擦声，这声音撞在石墙上弹回来，变成了诡异的回音。走了大约一分钟，我转过身，看了看地下室的门口。它成了一块窄窄的长方形的黄光，看上去非常遥远。

隧道拐了个弯，石墙好像要把我们围在里面。我感到一阵恐惧，但强迫自己保持镇静。

没什么可害怕的，我对自己说，这只是一条空空的旧隧道。

“真是太古怪了，”卡拉喃喃地说，“它能通向哪里呢?”

“我们肯定是在隔壁那片空地下面，”我猜测道，“可是，为什么有人会在一片空地下面挖一条隧道呢?”

卡拉用手电筒照着我的脸，她一把抓住我的肩膀，不让我再往前走：“你想转回去吗?”

“当然不想。”我没好气地回答。

“我也不想，”她立刻说，“我只是想看看你是不是想回去。”

我们跟着隧道拐弯，手电光掠过潮湿的墙壁。一个水洼横贯了脚下的路面，我们跳了过去。

然后，隧道又一次拐弯，一道门出现了。

又是一道深色的木门。

我们匆匆奔了过去，手电光在木门上来回照射。“喂，谁在里面?”我喊道，“喂!”我使劲敲门。

没有回音。

我抓住门把手。

卡拉又拦住了我。“如果你爸爸妈妈回家了怎么办?”她问，“他们肯定会特别担心的。他们不会知道你在哪儿。”

“没关系，如果他们下楼到地下室，就会看见柜子倒在地上，”我回答，“然后就会看见那扇开着的门通向这条隧道。他们就会猜到发生了什么事情，说不定他们会跟着我们上这儿来呢。”

“也许吧。”卡拉同意道。

“我们必须看看这道门后面是什么。”我急切地说。我转动门把手，把门拉开了。这扇门也很重。打开时也发出吱吱嘎嘎的古怪声音，跟第一扇门一样。

我们举起手电筒，让白色的亮光照着前面。

“是一个房间！”我轻声说，“隧道顶头的一个房间！”

手电筒的亮光在光滑的黑糊糊的墙上跳动，墙上空荡荡的。

我们并肩走进了那个四四方方的小房间。

“有什么大不了的？是个空房间，”卡拉说，“不过是一个空房间而已。”

“不，不是空的。”我轻声回答。

我把手电筒照向房间中央地板上的一个大东西。

我们俩都呆呆地望着它，默不作声地望着它。

“这是什么？”卡拉终于问道。

“一口棺材。”我回答。

预告

捣蛋鬼变形记

（精彩片段）

2 可怕的教训

我越过高高的篱笆朝那边望去，瓦尼莎的窗户里是不是有动静？

没有，只是阳光在窗户玻璃上闪闪烁烁。

我们都靠拢在安东尼身边。虽然这是一个温暖的春日，我却突然感到身上发冷。“瓦尼莎是怎么对待汤米的？”我小声地又问了一遍。

“汤米偷偷溜到她家时，被她抓住了，”安东尼说，“她就给汤米施了一种魔法，让汤米的脑袋像气球一样膨胀起来。”

“哦，谁信呢！”我喊了起来，翻了翻眼珠。

“哎呀——是真的！”安东尼急了，“汤米的脑袋大得要命，而且软绵绵、肉乎乎的，就像一块海绵。”

科尔笑了起来。

安东尼用一只手捂住科尔的嘴。“真是这样!”他一口咬定，“瓦尼莎给了汤米一颗又大又软，像海绵一样的脑袋，所以我们后来再也看不见汤米了!”

“可是波奇吉家搬走了呀!”弗兰尼大声说。

“他们正是因为这个才搬家的，”安东尼回答，“因为汤米的脑袋。”

我们都呆了片刻，想着安东尼说的这个故事，我努力想象汤米顶着一颗肉乎乎的大脑袋。

科尔打破了沉默。“把那个给我!”他大声说，他从杰瑞米手里一把抢过水罐，“我去给她的信箱里灌水，我不怕。”

“不行!”杰瑞米不同意，他把水罐从我弟弟手里夺了回去，然后他转向弗兰尼，“我们去灌——是不是?我们接受了挑战，所以我们非做不可——对吗?”

弗兰尼使劲咽了口唾沫。“我想是吧。”她哑着嗓子说。

“好!”科尔欢呼一声，拍了拍他们俩的后背，弗兰尼差点把水罐掉在地上，“你们能办到!许多小孩都捉弄过瓦尼莎，他们并没有长出肉乎乎的脑袋。”

“我还是认为给别人的信箱灌水没什么意思，”我反对道，“不值得为此冒险。”

谁都不肯听我说话，不肯听我的警告。

弗兰尼和杰瑞米踮着脚尖走到篱笆尽头，然后他们开始慢慢地走过高高的茅草丛生的草地。

他们用两只手把水罐捧在面前，眼睛一眨不眨地盯着瓦尼莎家农舍前门右边那个倾斜的信箱。

我和科尔、安东尼蹑手蹑脚地从篱笆后面探头张望。我屏住呼吸，盯着农舍的窗户，寻找瓦尼莎的身影。

弗兰尼和杰瑞米似乎在以慢动作前进。他们似乎要花一辈子时间才能穿过草地，走到信箱那儿！

无数个白色的小飞蚊在高高的茅草上空飞舞。小飞蚊在阳光里飞旋、起舞，闪闪发光，像无数颗小宝石。

弗兰尼和杰瑞米直接穿过了那些小飞蚊，他们的目光没有离开那个信箱。

我和两个男孩向前挪了一点，想看得更仔细些。

房子里看不到人影。

我们又往前挪了挪。

终于，杰瑞米拉开了金属信箱的盖子，他和弗兰尼把塑料水罐举了起来。

他们俩都把水罐挨近信箱。

往里面灌水。

水落在金属信箱里，发出轻轻的泼溅声。

弗兰尼的水罐倒空了，杰瑞米的水罐也差不多空了。

就在这时，前门突然打开——瓦尼莎冲了出来。

她穿着一件飘逸的黑色衣裙，黑色的长发在身后疯狂地飘舞。涂着黑色唇膏的嘴巴张得大大的，发出愤怒的喊叫。

那只猫在房子里的什么地方尖声大叫。

弗兰尼的水罐掉在地上，她弯腰去捡。

又改变了主意。

撒腿就跑。

杰瑞米已经冲进了房子那一边的灌木丛，弗兰尼紧紧地跟了过去。

我和科尔、安东尼没有动弹。

我们站在草地上，呆若木鸡，注视着瓦尼莎。

我转向科尔和安东尼。“她为什么用那样的眼光瞪着我们?”我喘不过气来地说，“难道她以为是我们干的?”

欢迎来到
Goosebumps
鸡皮疙瘩
俱乐部

鸡皮疙瘩俱乐部，进行时!……

下面的这段话你要牢牢记住哦。瞪大眼睛看清楚，可能你的人生会就此转

你是不是在生活中经常遇到一些惊险、有趣的事呢？把这些让人起鸡皮疙瘩的故告诉我们吧。参加“我不怕——”主题征文大赛和勇敢者宣言征集，你的作品将有机入选《鸡皮疙瘩“我不怕——”主题征文大赛获奖作品选》，本书将由接力出版社于20年12月正式出版，你还将有机会获得著名作家的亲自点评。

大赛指南

一、选手资格

凡购买“鸡皮疙瘩系列丛书”的读者，持有本页左下方的“我不怕——”标志，即可成为选手。

二、参赛要求

1．以“我不怕——”为题，发挥你的创意或者记录你身边的惊险故事，字数500—1000字。

2．以“勇敢”为主题，说出自己的勇敢宣言。字数不超过50字。

三、参赛方式

选手将作品和“我不怕——”标志一起寄到北京东城区东中街58号美惠大厦3单元1203室接力出版社“鸡皮疙瘩”编辑部，邮编100027。来信请留下详细的通信地址和邮编。应广大小读者的热切期望，本活动截止时间至2010年8月31日。

四、评选和奖励

获奖作品将入选《鸡皮疙瘩“我不怕——”主题征文大赛获奖作品选》，本书将于2010年12月由接力出版社正式出版。获奖名单及入选作品将于2010年10月在全国重要媒体和接力社网站上公布。

特等奖20名

获奖征文将得到著名作家的亲自点评，入选《鸡皮疙瘩“我不怕——”主题征文大赛获奖作品选》图书，作者获稿酬50元，由接力出版社赠送样书两册。

优秀奖100名

获奖征文入选《鸡皮疙瘩“我不怕——”主题征文大赛获奖作品选》图书，作者获稿酬50元，由接力出版社赠送样书两册。

鼓励奖500名（仅限勇敢者宣言）

接力出版社赠送《鸡皮疙瘩“我不怕——”主题征文大赛获奖作品选》样书一册。

欢迎参加！

《鸡皮疙瘩“我不怕——”主题征文大赛获奖作品选》

将收录100篇获奖优秀征文、500个勇士的宣言）

网络独家支持：

http://kid.qq.com/jp

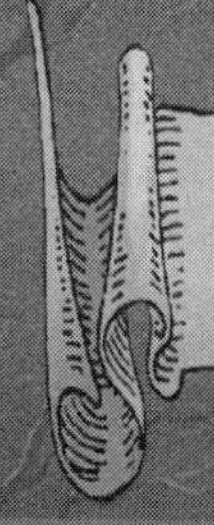

“神奇力量值”寻找行动
——有奖集花连环拼图游戏

奖品和奖励
来看看这些诱人的奖品吧，这是对勇敢者的犒赏！还等什么，赶快行动吧！

特等奖1名： 升学大礼包，价值3000元

一等奖5名： 名牌MP4一个，价值500元

二等奖50名： 超酷滑板一个，价值100元

三等奖500名： 接力出版社获奖图书一册
(以下十种任选一本)
《黑焰》、《万物简史》、《舞蹈课》、《亮晶晶》、《亚瑟和黑暗王子》、《来自热带丛林的女孩》、“淘气包马小跳系列”一册、“小香咕新传”一册、“魔眼少女佩吉·苏”一册、“秦文君花香文集”一册

玩家提示
想征服斯坦的魔幻世界吗？想成为名副其实的勇士吗？来考查一下你的力量值吧？本批“鸡皮疙瘩系列丛书”中隐藏了水之力、冰之力、火之力、风之力、电之力、山之力、土之力等七种神奇的力量，只有具备了这七种力量，才能在“鸡皮疙瘩”的惊险旅程中行进得更远。勇士们，擦亮眼睛，来找出这七种神奇力量标志吧！

游戏指南
收集分散在七本书中的七个标志，寄到北京东城区东中街58号美惠大厦3单元1203室接力出版社“鸡皮疙瘩”编辑部，邮编100027，即可参加抽奖，本活动截止日期为2010年6月30日。

火之力 奖

11 恐怖木偶症

南非某地报告，当地居民感染了一种奇怪又恐怖的疾病。最初，病人会不断吐血、高烧、手脚抽搐。到第二天，吐血症状减轻，体温也有所下降，但病人处于持续的睡眠状态。等到第三天，病人就在睡眠中丧失了一切的生命活动迹象，被宣布心脑死亡……

尸检结果让所有医生大吃一惊：死者体内的血液全部消失了，全身僵直，只有关节还能动——活生生的人变成了木偶……

更糟糕的是，第二个类似的病例出现了，随后是第三个、第

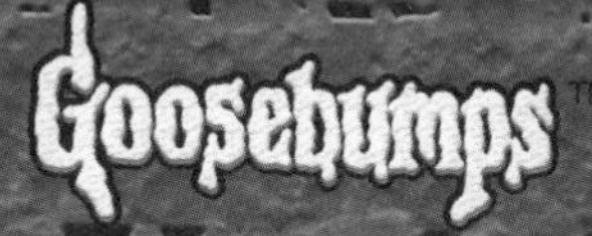

四个……这种恐怖木偶症看起来正在飞速扩散，感染上的人无一幸免。医生们发现，病毒的扩散是通过空气传播。幸运的是，只有少数人会感染病毒。

为此，作为心理学家的赛斯来到这里，帮忙稳定当地民众的情绪。

一晚，赛斯正在孤儿院内安抚孤儿，突然，一阵剧烈的咳嗽声惊动了大家。有个缩在角落里的孩子身体不住地抖动，并且吐出了几口鲜血。坏了，看来孤儿院里出现了感染者。

接下来该怎么办呢?!

A. 不顾一切抱起感染的孩子，冲出孤儿院，把他放在空无一人的室外，随后打电话求助医院。

B. 先不管感染者，用平静的语气告诉其他孩子不要惊慌，分发塑料袋让孩子们捂住自己的嘴，有序离开孤儿院。

C. 不采取应急处理，自己先跑出去，然后再告诉其他孩子陆续跑出来。

解析：谢天谢地，现实中不存在如此恐怖的疾病。然而我们的生活中还是有各种各样的传染病，比如水痘、乙脑、流感，甚至是近年来的禽流感和非典型性肺炎。本故事将告诉大家，面对传染病，采用什么样的方式是最合适的。

A选项，你很勇敢，也很有爱心。但你所做的事情却未必恰当，在没有任何保护措施的情况下，亲密接触患者，很容易使你感染病毒。我们在帮助别人的同时一定要首先确定自己的安全。

B选项，你很冷静，处理得当。通知医护人员，保护大多数孩子的安全是当务之急。由于病毒是通过空气传播，捂住嘴巴是很合适的行为。

C选项……我估计小读者们都不会选择这一选项的，倘若有的话，这里要提示你啦，自己先跑掉，是不是有点自私了呢？

小知识

各种传染病都有不同的传染方式，比如空气传播、唾液传播或是接触传播。小读者们请勿盲目恐慌，一定要了解传染方式，注意自我保护。按时接种疫苗、锻炼身体，形成良好的饮食、卫生习惯，可以最大限度地避免感染传染病。另外，身边的朋友如有得病，只要不会传染到自己，也要尽力帮助他呀！

赛斯机密档案

姓名：赛斯
年龄：4×9÷3–6+8+10
基因：变异基因
职业：私家侦探
性格特点：冷静、冷酷、冷峻
特殊喜好：凌晨三点在路灯下看“鸡皮疙瘩”
被人崇拜程度：orz

本测试题由著名心理咨询师、原中央教育科学研究所心理研究员孙靖（笔名：艾西恩）设计，插图由著名插画家马冰峰绘画。

情报站

1995年 “鸡皮疙瘩系列丛书”改编成电视剧，在美国连续四年收视率第一

1995年 “鸡皮疙瘩主题乐园”落户美国迪斯尼乐园

1995年 R.L.斯坦获选美国《人物》周刊年度最有魅力人物

2003年 “鸡皮疙瘩系列丛书”被吉尼斯世界纪录大全评定为销量最大的儿童系列图书

2007年 R.L.斯坦获得美国惊险小说作家最高奖——银弹奖

2008年 “鸡皮疙瘩系列丛书”电影改编版权被美国哥伦比亚电影集团公司买断并将翻拍成好莱坞大片

桂图登字:20－2008－017

图书在版编目（CIP）数据

我的头在哪里·灵偶Ⅲ/(美) 斯坦（Stine，R.L.）著；方薇译. —南宁：接力出版社，2009.4
(鸡皮疙瘩系列丛书：升级版)
书名原文：The Headless Ghost · Night of the Living Dummy 3
ISBN 978-7-5448-0732-6

Ⅰ.我… Ⅱ.①斯…②方… Ⅲ.儿童文学-长篇小说-作品集-美国-现代 Ⅳ.I712.84

中国版本图书馆CIP数据核字（2009）第037451号

总策划：白　冰　黄　俭　黄集伟　郭树坤　　总校译：覃学岚
责任编辑：张蓓蓓　　美术编辑：郭树坤　卢　强
责任校对：翟　琳　　责任监印：刘　签
版权联络：钱　俊　　媒介主理：常晓武　马　婕

社长：黄　俭　　总编辑：白　冰
出版发行：接力出版社
社址：广西南宁市园湖南路9号　　邮编：530022
电话：0771-5863339（发行部）　　010-65545240（发行部）
传真：0771-5863291（发行部）　　010-65545210（发行部）
网址：http://www.jielibeijing.com　http://www.jielibook.com
E-mail:jielipub@public.nn.gx.cn

经销：新华书店

印制：中国农业出版社印刷厂
开本：850毫米×1168毫米　1 /32
印张：9.25　　字数：180千字
版次：2009年4月第1版　　印次：2009年12月第2次印刷
印数：50 001—60 000册
定价：18.00 元